À Germaine
Une femme jeune
de caractère, [illegible]
aimant la vie, à qui
Je souhaite, dans le plus
bref délais, un
néophyte en santé! [illegible]
Marcel Gamel[illegible]
5 juin 2004

Salon de coiffure pour Dames

ÉDITIONS M.R.G., INC.
Casier postal 30531
Brossard, Québec (Canada)
J4Z 3R6
Téléphone : (450) 672-4914 ou (450) 445-0584
Télécopieur : (450) 465-8283

[(Envoyer vos manuscrits directement à l'adresse ci-haut mentionnée) (même pour les messages, utiliser la poste (ou le télécopieur) de préférence au téléphone)].

Conception de la page couverture :
M. Jacques Debisschop, artiste peintre
Mise en page :
Traitement de texte Ouellet Inc.
Téléphone : (450) 445-0584
Télécopieur : (450) 465-8283
Correction des épreuves :
Bertrand Delisle
Dépôt légal : 4e trimestre 2003
I.S.B.N : 2-9804059-2-2

Déjà publiés du même auteur

1) B.S ou Burnout, Éditions Les presses d'Amérique, 4e trimestre 1992.
(Roman drolatique, tonique et décapant : un roman-délire à lire absolument).

Note : le roman mentionné plus haut, s'inspire de la réalité transformée et caricaturée, au maximum, par l'imagination créatrice de l'auteur et n'a rien à voir avec les romans d'aventures de la COLLECTION **«ALERTE ROUGE»**.

2) Alerte rouge aux gorges de Coaticook,
ÉDITIONS ID EST, 2e trimestre 1995 [(Une histoire bizarre et dangereusement vraie) (Il s'agit du premier roman d'aventures de la COLLECTION **«ALERTE ROUGE»**)].

3) Événements insolites au Mont Mégantic,
ÉDITIONS ID EST, 2e trimestre 1997 [(Un roman aussi saisissant que **"trippant"**) (Il s'agit du second roman d'aventures de la COLLECTION **«ALERTE ROUGE»**)].

4) Salon de coiffure pour Dames,
ÉDITIONS M.R.G., 4 e trimestre 2003 (Un roman drôle et moderne où les vedettes sont des coiffeuses avec des idées on ne peut plus originales).

Dédicace

Merci à mes proches à qui je n'ai pu consacrer autant de temps que je l'aurais désiré car, très souvent, je m'abandonnais à mon violon d'Ingres préféré : la création littéraire.

Autres félicitations bien méritées!

Un remerciement particulier à ma soeur Jeannine, à mes autres parents, amis et collègues des écoles avec qui je suis en contact (Céline B., Marcel L., Robert P., Pascal T., Suzanne L., Danielle P., Anthony K., Jean-Pierre B., Maggy M., François G., Gaétan T., Monique L., Nicole R., Bertrand L., Monique B., Suzanne L., Michel J., Diane N., André A., Pierre B., Raymond T., Gérald G., Justin J., Pierre G., Michel B., Pâquerette B., Gilles G., Raymond P., Robert M., Gontran C., Alain K., Michel F., Francine et Michel C., Hélène et Denis T., Lise et Pierre T., Carole D., Hélène et Denis C., Thérèse et Léo R., Héléna et Gilles V., Diane et Michael T.) qui n'ont cessé de m'encourager ainsi qu'aux représentantes et représentants des autres commissions scolaires de la province de Québec et d'ailleurs qui utilisent mes volumes dans le cadre de projets pédagogiques!

Merci encore à tous ces autres «praticiens de l'enseignement», ces êtres dévoués, «généreux de leur personne» que j'ai rencontrés lors de congrès ou de sessions de signatures de dédicaces ou avec qui j'aurai le bonheur de fraterniser, durant ma tournée projetée de la province de Québec et d'ailleurs!...

Notes pour les lecteurs

Les événements et les personnages de ce roman sont fictifs. Toute ressemblance avec des personnes vivantes ou décédées ne serait, donc, que pure coïncidence.

Par ailleurs, la forme masculine, employée dans le présent livre, désigne aussi bien les femmes que les hommes.

Mise en garde

Le but premier de ce volume étant de faire rire le lecteur, si vous êtes pressés de rigoler, nous vous suggérons de lire quelques lignes du **chapitre 11** avant d'entamer le chapitre 1. De plus, vous devez savoir que les passages portant sur «l'orgueil» et sur «la non-importance de tout» sont nettement plus difficiles que **tous** les autres : prière de ne pas vous laisser freiner par eux puisque ce sont les deux seuls de ce type. Donc, vous pouvez encore réussir à parcourir ce livre «d'une couverture à l'autre». En d'autres termes, si vous ne vous laissez pas trop décourager par les deux passages précités, **«vous passerez au travers»**, sans vous en apercevoir! C'est sûr! C'est sûr! ...

Chapitre 1

- N'ayons pas peur des mots! Tu n'es qu'une belle salope, rien qu'une «saleté», que je te dis, s'égosillait Candy, l'organe phonateur braqué sur le visage de Manon, son souffre-douleur favori, qui répliqua aussitôt.

- Dévergondée, toi-même! Une femme facile, de bas étage : voilà comment tu m'apparais, pour ta part! Une banale «traînée» sans envergure, uniquement! Après des déclarations aussi fausses et échevelées que les tiennes, je devrais me gêner, moi, je suppose, pour te jeter à la figure tes quatre vérités! Ah ça, non!, non, non et non! ... Je ne vois qu'une façon de traiter une ... une ... une gourgandine comme toi!

- Tu as la mémoire courte, il me semble! ... De la boue, que dis-je, du fossé, c'est du ruisseau que ton mari t'as tirée, en t'épousant! Aucun mérite, de ton côté, sinon celui d'avoir déniché un époux juste assez malin pour sauver votre couple de la dérive! Toi, seule, tu ne ressors pas! Tu ne te démarques pas de la foule!

Tu n'es rien! Tu n'as rien d'exceptionnel, rien du tout! Nulle à mourir! Tu peux te compter chanceuse d'être encore autorisée à venir, ici, avec toutes tes vaines obstinations passées et tes fréquentes prises de position, à tue-tête ...

Cette discussion enflammée, audible jusque dans la rue, secouait, d'ores et déjà, le petit commerce de la rue Belhumeur, lorsqu'un adolescent, prénommé Luc, en franchit le seuil, à bout de souffle.

Étudiant, il commençait à peine ses études post-collégiales. Très peu verbo-moteur, on parlait de lui en précisant que son petit côté taciturne n'avait d'égal que son laconisme.

Bref, il n'ouvrait la bouche que lorsqu'il détenait un élément de discussion pertinent à faire valoir. Sinon, il se taisait. Introspectif ou introverti? Personne n'aurait osé se prononcer à ce sujet, tellement il se livrait peu. Donc, un mystère quasiment complet planait sur lui et sur sa véritable personnalité.

Précoce, Luc avait l'air réfléchi, presque sage, malgré la candeur de ses dix-sept ans. On lui prêtait une certaine maturité autant physique que psychologique.

Paraissait-il plus perspicace et intelligent parce qu'il parlait moins, qu'il allait droit au but et qu'il possédait un sens inné de l'à-propos? N'y avait-il pas danger de confondre son plein développement apparent avec ce qui n'était, en réalité, qu'une simple gêne contenue? Nul n'aurait su le dire car on avait peu appris de lui sinon qu'il provenait d'un milieu modeste où il avait grandi, avec sa famille.

Circonscrit, étouffé par quatre soeurs, émotivement envahissantes dans leur quête, implacablement intéressée et acharnée, d'affection auprès d'un père difficile d'accès et d'une mère attentionnée mais décédée prématurément, il avait été éduqué par sa grand-mère.

Étonnamment, il préférait, malgré tout, la compagnie des femmes à celle de la gent masculine. Question de goût? Peut-être! D'habitude des lieux, des personnes et de leur conversations usuelles? Sans doute! À la fin de son itinéraire, en tous cas, ces voix familières, qui surgissaient des murs mal insonorisés, avaient guidé le jeune homme.

Cependant, pour la majeure partie du parcours, à cause d'une pluie drue et cinglante qui lui dégoulinait sur le visage et jusque dans le dos, il s'était orienté grâce aux néons qui, sur la façade de l'édifice, dans un clignotement imperturbablement régulier, affichaient :

«Salon de coiffure pour dames»

«Désirs de femmes»

«Haute coiffure»

«Épilation» «Manucure» «Pédicure»

«Soins de santé-beauté» «Contrôle du poids»

«Massothérapie» «Talassothérapie»

«Bains de boue thérapeutiques»

Marthe, la patronne de l'établissement, qui avait eu fort à faire depuis l'ouverture, de bon matin, s'affairait déjà, quoiqu'à contre-coeur, à départager les arguments tonitruants de ses deux clientes, assises à proximité de sa chaise de barbier où Candy, comme d'habitude, croyait trôner et régner en maître sur sa rivale de toujours, Manon.

La bouche en cul-de-poule, incapable d'endiguer le surplus d'écume blanche et de salive accumulées aux commissures de ses lèvres, Manon, sans le faire exprès, inondait copieusement son entourage de postillons en tentant, en vain, de rivaliser d'adresse, sur le terrain même de Candy, avec son vocabulaire vulgaire et ses déclarations dévastatrices, à l'emporte-pièce, dirigés directement contre la personne.

- C'est clair! ... Avoue-le! ... Je te le dis, tu es envieuse une fois de plus ... jalouse de mon métier, poursuivit Candy en s'adressant de nouveau à Manon.

- Tu appelles ça un travail! ... Eh bien! ... Ce n'est pas la gêne qui risque de t'étouffer, toi! ... De t'exhiber complètement nue, quatre soirs semaine, devant des petits vieux grisonnants ou ... des mineurs voulant s'initier aux grands mystères de la vie ... tu oses qualifier ça ... de profession? Ne me fais pas rire! ... Je vais suffoquer ... mourir d'une crise d'apoplexie! ... Je le sais! ... Je le sens! ... Osée, toi-même, avec ton "job" ne servant qu'à mettre en évidence les diverses parties de ton anatomie ... même les moins nobles et les plus intimes! Rien d'autre! À mon avis ...

- Au départ, ton point de vue n'a aucune valeur! ... Tu ne connais rien ... rien de rien ... rien de mon boulot! Reconnais-le, pour l'amour du ciel! ... Tu n'as jamais fréquenté ce genre d'endroits, seulement! Qu'est-ce que tu en sais, alors! Tu parles sans connaissance de cause! Qui es-tu, toi, pour te prétendre en mesure d'apprécier la valeur de mon gagne-pain? Il s'agit d'un art, tu sais!

- Le "striptease"! ... Un art, mon cul, comme dirait Zazie[1] ... Voyons! Pourquoi donc? Comment? Depuis quand? Rien de ... d'esthétique, là-dedans! ... Faire valoir publiquement ses appâts et jouer avec la corde sensible ou avec les sentiments de personnes aussi vulnérables que celles qui forment ton public! ... Tu cultives et affiches le vice sans aucun respect ni pour ton corps ni pour les pensées de ceux qui te regardent. En plus de ta nudité intégrale, les positions langoureuses que tu adoptes ne peuvent faire que du mal aux spectateurs ... plus précisément aux voyeurs qui scrutent tous les méandres de ton anatomie. Dans ton rôle d'effeuilleuse à la petite semaine, tu publicises et incarnes la perversité! ...

- Encore de l'envie! J'espère que tu en prends conscience,

---

[1] Queneau, Raymond. Zazie dans le métro, Livre de poche, 1986, p. 88.

au moins! ... Tu sens la jalousie à plein nez : voilà ton vrai problème! Comme beaucoup me l'ont fait remarquer -Dieu soit loué- je possède un très beau corps, bien balancé, qui me permet d'exercer mon art ... ce qui n'est pas donné à tout le monde, si tu saisis ce que je veux dire ... ma chère! ... Je présente un spectacle fort honnête en termes de qualités esthétiques ... Je ne me tiens aucunement responsable des pensées multiples engendrées dans l'esprit des visiteurs. Je gagne ma vie honorablement et je contribue, aussi bien que toi ... à faire «tourner l'économie» ... même mieux car, moi, je paie comptant et je ne suis pas endettée, comme certaines personnes que tu connais, intimement! ... Je ne me drogue pas, je ne bois pas et je respecte les demandes, le milieu social et la culture de tous mes clients.

- Je t'en prie, Candy, cesse d'affirmer de telles idioties, ordonna Manon. Tu joues avec ma fibre lacrimale! ... Ah! Ah! Ah! ... Tu vas me faire pleurer, si tu continues sur cette lancée ... La culture, la culture ... parlons-en si tu y tiens! ... Sais-tu ce que c'est, au moins? ... Quand tu te contorsionnes sur scène, par terre ou dans les airs, en t'agrippant à des poteaux d'aluminium, je crois que tes voyeurs de clients ont les yeux fixés, uniquement, sur la première syllabe du mot **cul**ture! ... Ah! Ah! Ah! ... Mais, ce n'est là que la pointe de l'iceberg : en effet, je n'ai même pas encore abordé ce côté légal qui donne le droit à ces messieurs ... de toucher à ta poitrine, à tes fesses et à tes cuisses ... et ailleurs ... à certaines heures tardives ou ... pour récompenser certains hommes ... particulièrement généreux, par exemple! ... Non, non ... ne réplique pas! Ne me coupe pas la parole! Tout le monde sait que c'est une pratique assez répandue! Surtout, n'essaie pas de me faire croire le contraire ...

- Ma foi, ça recommence!, s'exclama Marthe, visiblement découragée et impatiente de prendre la parole, enfin.

Depuis longtemps, à dire vrai, Marthe songeait à signifier leur congé, à ces deux clientes dont le ton et le langage s'avéraient, sans l'ombre d'un doute, hors de tout contrôle, vulgaires et exagérés.

Cependant, elle avait toujours hésité à agir ainsi, à cause de son "business"[2], d'abord. Pour la même raison, Marthe avait tenté de décupler sa clientèle, en offrant toute la gamme des possibilités quant aux métiers et sous-disciplines représentés, à son salon de coiffure.

Avec tous les services offerts, il aurait été davantage approprié de parler d'un studio de santé complet, à l'image de ceux qui existaient, au moment du passage du premier au second millénaire. En effet, la massothérapie, à cette époque, faisait souvent partie des services dispensés par un salon de coiffure. Mais, il n'en

---

[2] Signifie «entreprise», ici.

était rien de ceux de talassothérapie et des bains de boue volcanique.

Quant au département de contrôle du poids, il n'existait que pour la forme car il demeurait, du point de vue de Marthe, qu'une façon de plus pour attirer les gens, à l'intérieur. Par acquis de conscience, uniquement, elle avait embauché une diététicienne, à temps partiel et avec rendez-vous seulement. Ses activités se limitaient, somme toute, à la distribution de brochures portant sur les multiples façons de jongler avec les calories, les protéines et avec les hydrates de carbone.

Par surcroît, c'était Marthe qui assurait ce service, la majeure partie du temps, sans conviction aucune, voire nonchalamment. Ses victimes prises au piège, Marthe se chargeait, par la suite, avec une délectation sans bornes, de les convaincre qu'une mise en plis devenait une priorité, beaucoup plus qu'un ou deux kilos en trop.

Il lui suffisait de jouer avec l'orgueil de chaque proie, en lui adressant la parole, fortement et devant toutes les autres, en faisant valoir qu'elle n'était sûrement pas «dans le besoin» au point de ne pas «avoir les moyens» de s'offrir ce petit luxe. Ensuite, elle n'avait qu'à préciser, en pointant le doigt en direction de cette cliente, en renchérissant : «Franchement, mesdames, je vous prends à témoins, ne pensez-vous pas qu'une mise en plis s'impose, dans ce cas-ci, en particulier?»

Cela lui apparaissait simple comme «bonjour» : il suffisait d'aborder, joyeusement, chacune des clientes en modifiant quelque peu la formule, à chaque fois, au fil des heures et des personnes, en lui conférant une coloration particulière, à l'aide de quelques variations imperceptibles pour le commun des mortels, mais pesées et soupesées par Marthe, dans le but de faire flancher ses cobayes.

Ainsi procédait-elle en ce qui avait trait aux «lavages de tête», certaines clientes ne demandant que ce seul traitement, à chacune de leurs visites, exigence minimale, que Marthe considérait comme une insulte.

Volontairement non annoncés ni publicisés, pas plus à l'intérieur qu'à l'extérieur de son local, parce que peu rémunérateurs, ceux-ci constituaient néanmoins, eux aussi, une source de revenus et un moyen, pour Marthe, d'attirer davantage de visiteurs et de gonfler, artificiellement, leur nombre, aux yeux des piétons, clients potentiels, qui déambulaient quotidiennement devant les baies vitrées de son salon de coiffure.

Marthe savait qu'elle bénéficiait d'une publicité gratuite, à cause de son emplacement, sur une artère importante, fréquentée par une foule de passants. Cet avantage involontaire s'ajoutait à une politique de multiplication des jeunes clients, de sexe mâle, que Marthe avait orchestrée, concoctée même, avec le plus grand soin.

C'est comme ça, en effet, que Marthe en était venue à accepter des adolescents, comme Luc, le spécialiste de la dernière minute, des enfants en bas âge et même des bébés, espérant que, en attirant leurs parents, à tout le moins ceux ayant de jeunes enfants, elle garderait éternellement contact avec eux, la femme surtout, qui, le cas échéant, en profiterait, en même temps, pour bénéficier des services de coiffure, de manucure, etc.

Quant à la discipline de pédicure, Marthe s'était trouvée obligée de céder aux incontournables et incessantes pressions de ses compétiteurs directs et indirects. En ce qui avait trait au contrôle du poids, c'était un service qu'elle offrait pour concurrencer les grandes et imposantes compagnies de «Santé-minceur» et, en particulier, cette fameuse compagnie anglophone, à l'origine, du moins, soit les Weight Watchers.

Marthe se retrouvait donc face à un dilemme entre le rendement financier de son établissement et le nombre et la qualité des clientes qui le fréquentaient déjà, comme Candy et Manon, entre autres. De plus, pressentant qu'elle ne pouvait et ne pourrait jamais tout contrôler, Marthe entendait tirer profit de la situation géographique inespérée du salon de coiffure.

En effet, son commerce se situait à la limite de sept anciennes municipalités qui avaient été scindées et qui se regroupaient, maintenant, sous le nom de communauté urbaine de Montbrun, soit les villes de Saint-John's, de Ville de Moissan, d'Hélens, de Janson, de Lomagne, de Beausite et de Prévert.

Marthe, idéalement, aurait souhaité n'avoir que des clientes et clients de Saint-John's, à cause de leur distinction, leur politesse, leur belle éducation, mais aussi et surtout, à cause de leur réputation de posséder d'imposants budgets. Mais, il y a loin de la coupe aux lèvres et Marthe le savait pertinemment.

Chapitre 2

Relativement populeuse, la ville de Saint-John's ne pouvait fournir la possibilité, à Marthe, de se faire un salaire décent. En effet, peuplée de façon assez dense, tout de même, elle ne fournissait pas tous les clients escomptés.

De plus, il y avait les habitudes des gens d'aller dans les salons de coiffure de maisons privées et aussi les concurrents qui drainaient passablement de clients potentiels. Néanmoins, si, après avoir utilisé les slogans publicitaires les plus efficaces, on gagnait la confiance de ces clients et clientes, on pouvait s'attendre à ce que les pourboires soient des plus volumineux.

Il en était de même des clientes provenant de la municipalité de Beausite et de Prévert, qui étaient assez bien nanties et qui habitaient des quartiers huppés avec de vastes maisons unifamiliales. Elles ne lésinaient pas avec les dollars, non plus.

Il n'en était pas autrement de la municipalité de Prévert. Cependant, si, à bien des égards, elle s'avérait comparable aux précédentes, elle dénombrait encore moins d'habitants. Mais, les clientes avaient, toutes, elles aussi, des portefeuilles assez bien garnis. Néanmoins, leur pouvoir d'achat n'arrivait pas, non plus, à compenser pour leur nombre restreint.

Quant aux consommateurs éventuels de l'ensemble des villes, situées de l'autre côté du Grand Boulevard, ils constituaient une clientèle que Marthe n'eût pas souhaitée, au départ, mais qu'elle ne pouvait pas se permettre de laisser de côté, pour la simple raison qu'elles abritaient des concitoyennes de classe moyenne ou pauvre. De plus, quelques clientes actuelles de Marthe, dont Candy, entre autres, y avaient vu le jour.

Originaire d'Hélens, Candy, une femme prompte et décidée, en imposait autant par sa beauté presqu'inégalable, que par sa réputation de ne pas être gênée, voire sans gêne! Elle ne possédait ni le vocabulaire ni la culture que Marthe aurait souhaité voir se manifester, dans son salon de coiffure.

Manon, pour sa part, provenait de Lomagne et, bien que très hétérogènes, les habitants de cette munipipalité jouissaient de portefeuilles changeants, selon les familles, les individus et le statut social des personnes concernées. C'était une municipalité où les quartiers très cossus en voisinaient d'autres qu'on aurait franchement qualifié d'agglomérations urbaines de zones grises, parce qu'une demi-pauvreté y régnait.

Aucune planification n'avait été exercée, au préalable, dans toutes ces municipalités, en amont du Grand Boulevard. Les édifices et les bâtiments, qui y avaient été érigés, s'avéraient très disparates.

On pouvait voir, par exemple, une station d'essence, côtoyant un dépanneur vendant des bonbons à cinq sous, et des maisons unifamiliales d'un quart de million de dollars, juste à côté de d'autres modèles relativement délâbrés ou modestes, le tout sur la même rue ou séparé par une à trois rues paralllèles, seulement.

Quant aux gens d'Hélens, peu d'entre eux pouvaient s'enorgueillir d'habiter de très belles maisons : il aurait été plus réaliste de parler d'habitations à prix inférieurs. C'était une ville qui avait poussé, spontanément, selon les désirs, les humeurs, le bon vouloir, les caprices et l'imagination fertile, mais souvent peu esthétique, de ceux qui s'étaient trouvés à passer par là et qui devaient constituer la population future de la ville en devenir.

Sur un coup de tête, très souvent, ils avaient décidé de s'y installer, prétextant qu'ils en aimaient les paysages, alors qu'ils étaient plutôt attirés par l'absence de contraintes, au départ. Comme des champignons et d'une façon presqu'anarchique, des constructions hétéroclites avaient surgi de terre. À dire vrai, les gens s'étaient construits «va comme je te pousse», c'est-à-dire sans aucun plan directeur préalable, sans normes de construction et sans quiconque pour refuser certains de leurs modèles bizarres, inusités ou franchement laids.

Pas surprenant qu'on y ait retrouvé, dans ce secteur, qu'une minorité de belles et très belles maisons comparativement à une majorité de constructions qui n'auraient pu revendiquer, à proprement parler, le vocable de «maisons» parce que leurs plans et devis n'auraient pas été acceptés par les élus, très soucieux du «paraître» de la ville qu'ils représentaient.

Les clochers ne manquaient pas, cependant, car on pouvait apercevoir, dans cette municipalité, comme dans les autres, un clocher qui frayait toujours avec une banque suivie d'un dépanneur, d'une station d'essence, d'un autre garage et, finalement, de quelques maisons inifamiliales mal orientées par rapport à la rue ou «arc-boutant du cheman»[3], comme disaient, autrefois, les agriculteurs de la région de la Beauce, de la province de Québec, au Canada.

S'étalaient encore et encore d'autres commerces disparates entrecoupés par d'autres bungalows surplombés par un autre clo-

---

[3] «Maison arc-boutant du cheman» signifiait, selon une acception originale qui n'a plus cours aujourd'hui, «maison construite en retrait d'un «chemin» que, d'une voix nasillarde, on prononçait «cheman», à l'époque.

cher et ainsi de suite. Dans une succession platement interminable et dans un ordre implacablement semblable, à peu de choses près, les bâtiments et les édifices se déployaient et se mariaient à ceux de la périphérie du Grand Boulevard où tout demeurait pareillement hétéroclite et dépareillé.

Le salon de coiffure de Marthe se situait au centre de ces sept municipalités aux caractéristiques particulières. Son emplacement en faisait un site privilégié pour l'établissement d'un commerce. Marthe habitait la ville de Saint-John's, depuis sa prime enfance, ce qui ne lui conférait aucun mérite ni pour le commerce ni pour le choix de l'emplacement dont elle avait hérité directement de sa mère et de son père.

Bien malgré elle, Marthe faisait partie de ce milieu culturel «petit bourgeois» qui lui avait prodigué quelques éléments de culture. Toutefois, elle s'était plutôt faite, par elle-même, en qualité d'autodidacte.

Les études, en effet, n'avaient pas retenu, trop longtemps, l'attention de Marthe : elle avait suivi son cours de coiffure pour occuper le poste de patronne de la "business" de ses parents, après s'être imposée comme chef du département de coiffure, créant son propre emploi, en quelque sorte, sans procéder à des mises à pied car elle prétendait que c'était inutile puisque le marché était favorable à la création d'un nouveau poste, en l'occurrence, le sien.

Même si le tout s'était fait sans heurts, elle s'était improvisée premier "boss"[4] et les employés n'avaient pas eu le choix de l'accepter ou non. Donc, pas de formation particulièrement élaborée chez Marthe pour qui les études n'avaient été qu'un mauvais souvenir passager. Même si elle n'avait pas trouvé son cours difficile et que ses études s'étaient avérées bien en deçà de ses possibilités personnelles et de ses aptitudes naturelles, elle était contente de l'avoir complété.

D'après les «tests d'intelligence» et de quotient intellectuel qu'elle avait passés, avec excellence, Marthe aurait été capable de poursuivre des études universitaires. Toutefois, celles-ci ne l'intéressaient nullement car elle croyait qu'on «se faisait» davantage une réputation en oeuvrant «sur le tas» qu'en usant ses «froques»[5] sur les bancs de quelqu'université que ce soit.

De toute façon, le sort en avait décidé autrement et Marthe n'avait jamais été autant d'accord avec une décision du destin. Par la pratique, elle compensait pour la théorie, car elle était consciente de son énergie débordante, de sa valeur et de ses qualités.

En effet, si, chez elle, la culture n'était pas particulièrement remarquable, elle faisait preuve de beaucoup de retenue et on l'ap-

---

[4] "Boss" : patronne- propriétaire, ici.

[5] «Froques» : vêtements, en général, ici.

préciait pour cela de même que pour sa capacité de ne pas parler lorsqu'elle n'avait rien d'intelligent ou de particulier à dire. Au contact de ses clients, n'en apprenait-elle pas toujours plus, au fil des jours et lors des discussions qui avaient cours, dans son salon ?

D'abord, de nature, elle verbalisait peu; ensuite, elle était aux aguets, ce qui faisait qu'elle apprenait très vite; enfin, elle pouvait **re**servir, le lendemain ou beaucoup plus tard, les opinions et jugements que ses clients avaient expliqués et explicités en sa présence car elle les enregistrait ou les colligeait, à mesure, dans son «cerveau», sans en oublier aucun. En s'inspirant de tous ces énoncés, elle se faisait une opinion personnelle à partir de la moyenne raisonnable de tous ces jugements et arguments d'autrui.

En réalité, ce qui lui dictait sa ligne de conduite, c'était, la plupart du temps, **«le gros bon sens»**, sans plus. En effet, elle était dotée d'un bon sens naturel, exceptionnellement remarquable. Cela tenait sans aucun doute à son expérience de coiffeuse, elle-même, mais aussi à ses nombreuses relations avec divers clients et clientes, presque tous de provenance et de couches sociales multiples et hétéroclites.

C'est, d'ailleurs, ce qui lui plaisait, surtout, dans ce métier : la chance de rencontrer des personnes qui abordaient tous les types de sujets possibles et imaginables avec des gens qui provenaient de partout, même des étrangers d'outre-mer à qui on avait recommandé l'endroit lors de leurs séjours au pays, parfois.

Bref, en une seule semaine, Marthe pouvait faire un «mini» voyage autour du monde, confrontée qu'elle était aux multiples us et coutumes, mentalités et personnalités de l'ensemble de ses visiteurs.

Ainsi, l'occasion lui était souvent offerte de mesurer et d'ajuster, à l'intérieur des limites de ses idées personnelles plutôt "standard" et conformistes, ses raisonnements avec ceux de gens considérés par tous comme très sérieux, compétents et réfléchis.

Mais, par rapport à Candy et à Manon, Marthe estimait que cela dépassait le simple ajustement ordinaire. À vrai dire, s'ajuster signifierait dire comme elles, prostituer, en quelque sorte, son intellect. À ces moments, elle ne se sentait pas capable de franchir le cap de son bon sens proverbial.

Par ailleurs, elle était convaincue que, si elle tranchait en faveur de Candy ou de Manon, elle se retrouverait confrontée à un problème : celui de l'exode d'une partie de sa clientèle assidue, qu'elle se devait de conserver, à tout prix.

Elle se retrouvait souvent dans une position incorfortable, entre l'arbre et l'écorce, en somme. Elle devait, alors, utiliser des arguments ambivalents qui laissaient, aux deux belligérantes, l'impression qu'elle, Marthe, ne possédait pas d'opinion arrêtée concernant le sujet traité, question de leur faire plaisir, en entretenant un certain doute, chez eux.

Elle se devait, comme on le dit souvent à propos des politiciens, de «patiner». Mais, avec Candy et Manon, il ne fallait pas seulement patiner mais accepter de faire du patin de fantaisie digne des performances acrobatiques olympiques. En un mot, Marthe avait l'impression de marcher continuellement sur des oeufs, en présence de ces deux opposantes.

C'est pourquoi, Marthe, à son corps défendant, avait si souvent pensé les exclure dramatiquement et simplement. En effet, depuis leur quatrième ou cinquième visite simultanée, Marthe était consciente qu'elle serait peut-être confrontée à cette éventualité, un jour.

Même que, à un moment donné, elle aurait songé à les déclarer «interdits de séjour», à tout jamais, parce, d'après elle, elles ternissaient l'éclat et la réputation "high class"[6] de son salon de coiffure et risquaient de semer une sorte de scepticisme, dans l'esprit de ceux qui se présentaient au salon, pour la première fois du moins, quant à la qualité minimale, supposément «moyenne supérieure», des clients habituels.

---

[6] "High class" : haute classe ou classe très favorisée, monétairement parlant surtout, ici.

Quand on connaissait Candy et Manon, on s'imaginait aisément que, ces deux clientes se démarquaient négativement du reste de la clientèle assidue de Marthe, tant par le nombre de décibels qu'elles développaient et projetaient dans l'air ambiant que par leur langage outré, agrémenté d'injures, châtié, bref, peu littéraire.

En réalité, plusieurs clientes, plus que Marthe encore, en avaient «ras le bol» à l'idée de voir leur réputation réduite à un faible dénominateur commun, comme le leur. Tous les gens présents auraient refusé de se faire considérer, ne serait-ce qu'un instant, sur un pied d'égalité ou comme faisant partie intégrante de la catégorie d'individus où se situaient Candy et Manon.

Ils se seraient carrément objectés à être confondus ou comparés à elles, sans que leur amour-propre en souffre, considérablement. Plusieurs clientes, n'auraient même pas aimé être vues avec des spécimens de l'humanité d'un tel acabit!

Heureusement que Marthe ne faisait affaire qu'avec quelques clientes comme celles-là car elle aurait été obligée, sans aucun doute, de déclarer faillite, dans les plus brefs délais. Comme la plupart de celles-ci se présentaient au salon avec l'idée bien arrêtée de prendre un petit répit, à l'écart de leur vie quotidienne trépidante, toutes devaient renoncer à ce bien-être, en présence de Candy et de Manon.

De fait, Marthe, elle-même, avait de la difficulté à tolérer leur trivialité, leur langage négativement coloré et leurs jugements de valeur, à l'emporte-pièce, qui risquaient de «déteindre» sur la réputation propre de tout client.

Incidemment, ce n'était pas de gaieté de coeur que Marthe acceptait toujours de recevoir Candy et Manon, pas plus que les consommateurs masculins, d'ailleurs. C'était, uniquement, pour multiplier, au maximum, le nombre d'individus constituant sa clientèle. La preuve, c'est qu'elle n'accueillait que des enfants en bas âge jusqu'au moment de la fin de leur adolescence.

Donc, aucun adulte masculin n'était admis au salon de Marthe, pour des raisons évidentes, puisque son public-cible c'était la gent féminine : bien que la clientèle masculine apportât de l'eau au moulin, elle ne venait pas avec régularité et ne requérait pas de soins de beauté très élaborés pour lesquels Marthe aurait pu demander une rétribution monétaire appréciable, pour services esthétiques rendus.

En effet, même si de jeunes hommes fréquentaient le salon de Marthe, de temps à autres, des mois passaient, parfois, avant qu'ils ne récidivent. À ces occasions, ils s'organisaient même pour choisir un moment où il n'y avait pas trop de clients, en évaluant le nombre réel de personnes présentes, en se servant des baies vitrées donnant sur la rue. D'ailleurs, plus encore que leur impatience, c'était souvent la gêne qui leur dictait de tels comportements.

Ainsi donc, après une coupe de cheveux et la taille de leurs favoris, que les coiffeuses de la patronne et Marthe, elle-même, faisaient avec application mais très rapidement, toute proportion gardée, comparativement au temps nécessaire pour une coupe de cheveux féminine, les visites des représentants masculins n'étaient que ponctuelles et brèves.

Quant aux enfants en bas âge ou aux bébés, Marthe les acceptait parce qu'elle voyait, en eux, la relève, puisque le fait d'avoir attiré les parents, au salon, en même temps que leurs enfants, représentait une pépinière, une source considérable de clientes et de clients potentiels.

Donc, Marthe estimait qu'elle n'avait pas les moyens de s'offrir le luxe d'éliminer certains clients ou clientes indésirables et, par conséquent, de bonifier sa clientèle en incitant Candy et Manon, et d'autres personnes éventuellement, à fréquenter un autre salon de coiffure, à l'avenir. Pour des raisons de rentabilité, Marthe en avait besoin, hélas!

Alors, elle s'était dit, dans son for intérieur, que son rôle était de tempérer les prises de becs, à défaut de procéder à l'élimination draconienne de certaines habituées, parce qu'elle n'était pas d'accord avec leurs idées. Marthe, non seulement n'acquiesçait pas mais condamnait, purement et simplement, le tintamarre qu'elles créaient, lors de leurs interminables discussions obstinées, où la sono l'emportait invariablement sur les arguments.

Globalement, Candy et Manon semblaient manquer de classe. Ainsi, pour Marthe, leur donner leur congé, à plus ou moins brève échéance, aurait signifié augmenter la qualité de sa clientèle. En effet, ces deux personnes, à elles seules, rendaient son salon de coiffure, pour les nouvelles et les nouveaux venus surtout, moins attirant.

À titre de propriétaire des lieux, Marthe ne devait jamais rater une occasion de **re**dorer davantage le blason de la réputation générale de son salon de coiffure et, le facteur du nombre total d'individus à fréquenter son salon, sans être le seul à considérer, contribuait à l'atteinte de cet objectif.

Marthe utilisait souvent cet argument du nombre, face à des détracteurs, par exemple : c'était, pour elle, un genre de preuve par le consentement universel. Elle la savait limitée et discutable, quant à son influence, dans les faits et dans la vraie vie, mais elle était certaine qu'il n'y avait pas mieux pour regarnir sa caisse enregistreuse et pour boucler ses fins de mois.

De plus, en qualité de patronne et pour le maintien même de la cote "glamour"[7] de son salon de coiffure, elle se sentait dans l'obligation d'utiliser tous les trucs possibles et imaginables pour maintenir ce haut standard.

C'est pourquoi, relativement à Candy et à Manon, Marthe avait tout avantage à demeurer en contrôle d'elle-même. Toutefois, une autre raison de ne pas agir, sur un coup de tête, avec elles, motivait Marthe.

En faisant abstraction de leur langage trivial et de l'aspect infailliblement grossier de tous leurs débats qui dégénéraient toujours en affrontements épiques vicieux, les deux femmes, sans posséder ni une «classe certaine», ni une «certaine classe», surprenaient par leur remarquable expérience de la vie.

Que les autres personnes présentes, dans son local, aient été d'accord ou pas avec elle, Marthe avait le sentiment de ne pas se tromper dans son évaluation approfondie de Candy et de Manon. Parfois, même, elle s'était surprise à admirer leur originalité, leurs idées inusitées et inhabituelles, surtout celles de Manon.

---

7 [("Glamour" signifie ici enchanteur, avec grand éclat, avec grand prestige, avec grand enchantement, flamboyant (sens de briller très fort), tape-à-l'oeil, éblouissant ou, encore, qui capte extrêmement l'attention)].

Pour ces raisons, Marthe hésitait à intervenir trop rapidement même si, face à leurs agissements récents, n'importe qui aurait pu constater que, si «trop c'était comme pas assez», «trop c'était trop.»

À preuve, ces échanges verbaux où les exagérations fusaient de toutes parts. Il aurait été tentant de s'immiscer, prématurément, dans ce dialogue de sourds voué, d'avance, à l'échec et à l'incompréhension parce que trop entaché par les émotions personnelles des deux belligérantes.

Bref, si Marthe tranchait en faveur de l'une ou de l'autre, elle risquait de perdre une partie de sa clientèle assidue car, mises à part Candy et Manon, elle devait tenir compte, aussi et surtout, des amies et connaissances de ces dernières.

Chapitre 3

Au risque d'une crise de Candy et de Manon, Marthe devait départager ou agir en agent modérateur entre les deux femmes et c'est ce qu'elle faisait encore au moment de l'explosion de cette violence verbale exacerbée manifestée lors de l'engueulade qui avait tenu lieu et place d'une discussion civilisée et sereine, entre les deux antagonistes.

Or, d'une habile façon, Marthe incita les deux opposantes «à la mesure», ne craignant pas d'intervenir en plein milieu de leur débat. Elle empêchait, ainsi, que la conversation ne se dégrade davantage.

En effet, beaucoup trop de mots blessants, injurieux et démesurés avaient déjà été prononcés pour qu'elle néglige de se mettre de la partie. Elle imposa donc son droit de parole, après avoir pris soin d'isoler Candy et Manon, en se servant de son grand miroir, pour empêcher les deux têtes montées de s'injurier par des mimiques ou par des gestes pendant le temps qu'elle s'adresserait à elles.

- «Madame Delval», dit courageusement Marthe, en s'adressant à Candy qui était assise, devant elle, sur la chaise de barbier, et à Manon, juste en face de Candy, sans aucun égard pour la véracité des raisonnements employés et en jetant un regard complice à Manon qui, malgré le fait qu'elle utilisait souvent le même type d'arguments que Candy et employait des mots qui dénotaient des champs lexicaux plus imposants et recherchés que ceux de celle-ci, «il est de mon devoir d'être très claire et de préciser, une fois de plus, ceci :

- «Au départ, je vous concède que vous avez probablement de bons motifs pour vous injurier toutes les deux, mais, dans le cas présent, je pense qu'il y a un réel danger de tomber dans une discussion stérile digne de jeunes collégiennes entêtées, qui voudraient, à tout prix, gagner pour gagner» ...

À ce propos, Candy faisait figure d'ours mal léché, parce qu'elle disait n'importe quoi, à n'importe qui, n'importe quand et n'importe comment et que, pour ce faire, elle ne lésinait pas dans l'utilisation d'opinions offensantes et exagérément inadéquates.

De fait, Candy se targuait elle-même de «ne pas avoir froid aux yeux». À dire vrai, elle répétait, à qui voulait l'entendre, qu'elle ne s'en laisserait jamais imposer par quiconque et que, si personne ne s'était avisé de l'intimider, dans le passé, c'est parce que les gens avaient senti que cette tactique ne réussirait jamais, avec elle; elle renchérissait même avec des dictons connus comme : «Une personne avertie en vaut deux; qu'on se le tienne pour dit; avis aux intéressés!»

- Marthe, précisa Luc, qui était gonflé à bloc, depuis un bon moment déjà, je ne crois pas qu'il s'agisse simplement d'une discussion entre deux couventines aux esprits obtus, mais d'une obstination entre deux personnes qui ne s'aiment pas et qui ne s'apprécieront jamais! Pas besoin de chercher de midi à quatorze heures pour comprendre ça! C'est aussi simple que cela ... conclut Luc qui, contre toute attente, était en verve ce jour-là, lui qui ne parlait pas autant, d'habitude.

- Mais, il faut que ça cesse, tout de même, cette prise de bec, coupa Marthe, impatientée. Avec un peu de bonne volonté ...

- Il n'est pas question de bons sentiments, ici ... ni de mettre de l'eau dans son vin, de part et d'autre, c'est plus que cela ... car Manon et Candy doivent «vouloir» faire la paix, rectifia Luc, en s'adressant à Marthe, avec assurance ... On constate rapidement que l'opposition entre elles ... tient carrément du conflit de personnalité! Donc, peu importe ce qu'elles vont soutenir ... elles resteront continuellement à couteaux tirés, l'une par rapport à l'autre ...

- Veux-tu dire, Luc, que Candy n'écoute pas vraiment Manon et vice versa, risqua Marthe, en faisant mine de vouloir clarifier la situation alors qu'elle désirait faire diversion et même, déporter la conversation en faveur d'un «nouveau sujet, tout neuf.»

- C'est un peu ça! Mais, la réalité est pire encore ... ajouta Luc, qui, après ces mots, devint graduellement énigmatique et donna l'impression de vouloir se réfugier dans ses pensées, dorénavant.

Depuis le temps qu'il fréquentait le salon de coiffure de Marthe, Luc avait constaté un phénomène étonnant. Il trouvait curieux à quel point les êtres humains «entendaient» ce que disaient les autres mais les «écoutaient» peu ou pas du tout, somme toute.

Toutefois, d'après lui, il y avait une différence appréciable entre «entendre» et «écouter». De plus, ce fait devenait un phénomène général s'appliquant à toute la population de notre planète bleue ... pas seulement aux habitués des salons de coiffure.

Ainsi, il avait déjà tenté une expérience simple avec certaines gens. Elle consistait à faire écouter, d'affilée, trois émissions de télévision, d'une demi-heure chacune et, sans avertir, au préalable, ses interlocuteurs, de leur demander, après la troisième émission, de lui remémorer quel était le sujet et les thèmes de l'émission numéro un.

Immanquablement, ses connaissances et amis ne pouvaient se souvenir de ce dont il était question dans la première présentation. Les gens répondaient : «Euh! ... Euh! ... Euh! ... Attends une minute! ... et, dans 95 % des cas, ils ne pouvaient témoigner ni du sujet ni du but de l'émission.

Quant aux thèmes, les personnes testées affirmaient, presqu'invariablement : «Là, par exemple, tu nous en demandes trop!» De plus, ceux qui se souvenaient du sujet traité, un 5 %, il va sans dire, avaient demandé grâce à Luc, quant aux détails inhérents à l'émission, en prétextant : «Ça fait longtemps de cela ... on ne s'en souvient pas clairement ... ou ... pas du tout!»

Pourtant, la fin de la première émission, avait été entendue, il y avait une heure, à peine, ce qui était loin de signifier un laps de temps important. Que voulez-vous, faisait remarquer Luc, en paraphrasant Alvin Tofler, c'est bien vrai que nous vivons dans le «siècle du jetable!»

Bref, même pour les deux émissions subséquentes, y compris pour la dernière, les souvenirs des gens interrogés, restaient vagues et épars. Donc, Luc fit remarquer qu'il y avait toute la différence du monde entre «entendre», comme un divertissement parmi tant d'autres, et «écouter», dans le sens fort du terme, c'est-à-dire en étant très concentré sur les messages principaux et secondaires et avides de saisir l'information précise et juste, sans interprétation personnelle.

Il suffisait de s'efforcer de devenir des auditeurs extrêmement attentifs, de façon à ne pas défigurer le sens de l'émission. D'après les prétentions de Luc, écouter, dans le sens fort du terme, et le seul acceptable, c'était ne pas se contenter d'une simple écoute distraite susceptible de mener à des erreurs d'appréciation.

Pour Luc, cet état de fait, c'était grave, en soi, mais quand il disait que c'était pire que cela encore, il faisait allusion aux échanges inutiles entre Candy et Manon qui aboutissaient toujours à des culs-de-sac.

- De fait, que voulais-tu dire, tout à l'heure, par l'expression «pire encore?», d'enchaîner Marthe, qui voulait tirer Luc de ses réflexions et qui avait envie d'obtenir des précisions supplémentaires car, le mot «pire», surtout, à la fin de l'intervention de Luc, avait capté son attention et avivé sa curiosité.

- Marthe, répondit Luc, ce que je veux relever, relativement au style de discussions entre Candy et Manon, c'est que leurs entretiens ... si je peux m'exprimer ainsi ... car, parfois ils ressemblent plus à des enguelades ... qu'à un véritable échange ... dans leur cas, dis-je, les arguments passent fréquemment au second plan, après le flagrant conflit de personnalité, tel que je l'ai évoqué. En ce sens, je crois que, peu importe les positions défendues, la répulsion réciproque de Candy pour Manon, prend et prendra toujours le pas sur leur volonté de faire ressortir la vérité vraie.

- Veux-tu dire que nous sommes des menteuses, lança Candy qui, pour la première fois depuis le début, employait le «nous» collectif, au lieu de son omniprésent «je».

Contre toute expectative, elle avait l'air de vouloir s'identifier, tout à coup, au clan de Manon. Était-ce dans le but de trouver, chez elle, un appui ou souhaitait-elle provoquer un dérapage de la conversation, brouiller les cartes et cesser, ainsi, d'être le principal point de mire, lors de leurs affrontements intempestifs? Candy ne le savait vraiment pas, ne se l'avouait pas ou n'en était pas consciente, purement et simplement!

Habituellement, ce n'était pas le genre de questions que Candy se posait car elle n'avait aucun goût pour les abstractions et que, son impulsivité l'empêchait de s'arrêter et d'analyser la complexité des agissements des êtres humains, y compris les siens.

Tendue d'avance, comme un ressort sous pression, elle employait toutes ses énergies à «réagir» et à ne pas s'en laisser imposer par quiconque, comme son père le lui avait appris. Je pense, donc je suis, stipulait la maxime célèbre. Candy, en corformité avec les enseignements de l'auteur de ses jours, l'avait partiellement adoptée et publicisée : «Je réagis, donc je vis.»

C'est pourquoi, si les questions trop abstraites lui échappaient ou l'intéressaient peu, elle était assez alerte et éveillée pour commencer à percevoir, dans la personne de Luc, un nouvel opposant qu'elle se devait de réduire au silence, le plus tôt possible.

Candy en avait déjà tellement plein les bras avec Manon qu'elle n'entendait pas se laisser humilier par ce jeune blanc bec qui, bien qu'assez mature, elle en convenait secrètement sans le lui dire, sortait à peine de l'enfance. Elle se proposait donc d'intervenir en ce sens, dans les plus brefs délais. Pourtant, c'est Luc qui, avec sa répartie facile, devait la battre de vitesse et prendre la parole le premier.

- En termes clairs, accentua Luc, ce que je veux faire ressortir c'est que, même si, Manon et toi, Candy, vous parliez le reste de vos vies, vous n'arriveriez à rien ... à aucune entente finale ...

- Et pourquoi donc!, bougonna Candy, avec agressivité.

- Parce que c'est comme ça, c'est tout, simplifia Luc qui se fit interrompre.

- Trop facile, trop simpliste et trop enfantin comme raisonnement, s'acharna Candy, en condamnant les dires de Luc. Trop simple d'énoncer : «C'est comme ça, parce que c'est comme ça!» ... Je serais gênée, à ta place ... Ce n'est pas une opinion qui se tienne que cela ... on devrait plutôt parler de vérité de ce fameux monsieur de La Palice ... C'est pas sérieux et, aussi, trop puéril ...

Il est vrai que, toi, tu n'es pas très loin de l'enfance! Ah! Ah! Ah!, s'exclama malicieusement Candy, en amplifiant, à satiété, pour ridiculiser, Luc, davantage. C'est comme cette réaction de l'enfant à qui on demande pourquoi il a fait tel ou tel mauvais coup et qui répond : «Parce que ... parce que!» Finalement, parce que quoi?

«Parce que» ... répond-il, soit qu'il est impressionné par le ton de l'adulte qui lui a adressé la parole, soit qu'il n'a pas de raison valable à fournir, soit qu'ils ne veuille pas admettre au grand jour ses erreurs. Je te le répète, c'est trop facile de dire : «Parce que ... parce que ... C'est comme ça, parce que ... parce que ... parce que c'est comme ça, bon!», sans justifier son opinion.

- Candy, adjoignit Luc, tu me forces à préciser des points que tu n'aimerais certainement pas que j'amène dans la discussion ... Est-ce que c'est ça que tu veux? Sincèrement? Penses-y, avant qu'il ne soit trop tard! ...

- Je n'ai pas peur de la vérité, si c'est ça que tu veux insinuer, clarifia Candy. La vérité n'a jamais fait de mal à personne ... En tous cas, moi, je ne la crains pas ... et si tu as raison ...

- "O.K.", "O.K"[8], tu l'auras voulu : la vérité vraie c'est que Manon et toi, vous ne pouvez vous blairer, vous sentir, vous supporter car vous soutenez toujours des arguments diamétralement opposés les uns par rapport aux autres. C'est pour cela que j'ai parlé, plus tôt, de conflit de personnalité.

- Tout ce que tu voudras, accorda Candy. Mais, tu dois savoir que je n'ai rien contre Manon ... N'est-ce pas Manon? Nous avons, parfois, des opinions divergeantes, mais ...

- Parfois! ... Tout le temps tu veux dire, ironisa Luc en fixant Candy ... Vous n'êtes jamais sur la même longueur d'ondes...

- Tout le monde a droit à son opinion!, canonna Candy qui croyait prendre le dessus sur Luc, en parlant plus fort que lui. Nous vivons dans un pays libre, oui ou non! ...

- Tu ne comprends pas, argua Luc en s'adressant à Candy, directement. Je ne te parle pas de liberté de presse, d'expression ou de liberté de parole, ici. Je veux faire ressortir la problématique de l'opposition caractérisée et permanente entre toi et Manon.

---

[8] Même si on l'utilise très souvent, il demeure un anglicisme, en français; c'est pourquoi on emploie les guillemets anglais (" "); ici, dans le contexte, il signifie «D'accord».

- Qui es-tu toi, jeune morveux, attaqua Candy, pour prétendre détenir la vérité absolue ... toute la vérité ... rien que la vérité ... je le jure! Ah! Ah! Ah! ...

- Je ne crois pas être le seul dépositaire de la vérité, avec un grand «V» ... Aucunement, concéda Luc. Ce que je veux porter à ton attention, c'est uniquement que tu argumentes à partir de tes émotions, qui laissent peu de place à la raison ... C'est tout! ... De là, la difficulté que tu éprouves à t'entendre avec les autres ...

- Comment ça, avec les autres?, ... censura Candy, en fustigeant Luc. Tout à l'heure, il s'agissait seulement d'une répulsion présumée entre deux personnes et, maintenant, comme par magie, je m'opposerais à tout le monde. Ça va bien faire comme ça! ... C'est assez! ... Tu as assez parlé ... Balivernes, que tes observations ... Fais donc, comme d'habitude : tais-toi, à la fin! Tu n'aimes pas parler ... Alors, c'est simple : «Reste assis et ... attends ton tour, comme les autres et, laisse donc les grandes personnes discuter à leur guise», apostropha Candy qui, outrée et rouge de colère, reprit aussitôt.

- D'abord, qu'est-ce que tu fais, ici! ... Ce local est un salon de coiffure pour dames, pas une brasserie, comme dans le roman ironique et drôlatique B.S. ou Burnout[9], où l'on retrouve des gars comme toi et une foule de philosophes de taverne qui résolvent, en une demi-heure, le sort de l'humanité toute entière, face à une table remplie de verres de bière ou d'alcool ... Ah! Ah! Ah!

- Hé! Ce ne serait pas toi ... par hasard ... qui ... il y a quelques minutes, à peine, affirmait ne pas avoir peur de la vérité, capitalisa Luc, hors de lui. Est-ce que tu étais sincère? Déguisais-tu la vérité ou mentais-tu carrément en affirmant cela? De deux vérités, l'une : ou tu mentais, tout à l'heure, ou tu es de mauvaise foi, maintenant, au moment où tu refuses de voir la vérité qui est en train de sortir ... une vérité qui fait mal ... au point de vouloir m'imposer, de force, le silence.

Tu veux m'empêcher de parler, reprit Luc, me mettre une muselière, comme aux chiens qui aboient trop fort ou trop fréquemment! C'est quoi, ça? ... Une tactique? Tu refuses d'écouter et d'admettre les idées des autres. Ah! Je comprends! Ça doit être ça avoir des oeillères ou quand on dit qu'une personne fait preuve d'étroitesse d'esprit. Fermeture et liberté n'ont jamais fait bon ménage, il me semble!

---

[9] Gosselin, Marcel. B.S. ou Burnout, Montréal, les Presses d'Amérique, 1992, 201 p. : titre d'un autre roman de l'auteur que vous lisez, présentement.

- Cesse de faire ton petit savant en herbe et écoute-moi, crâna Candy qui perdait graduellement du terrain ... Je ne suis pas un auditeur libre, comme toi, avec tes études collégiales à la con, où tu perds magistralement ton temps, aux frais de la Reine et de l'état et où les généreuses bourses d'études servent plus à acheter des automobiles neuves qu'à défrayer les frais d'inscription, de scolarité et tous les autres coûts reliés aux cours, eux-mêmes. Ah! Ah! Ah! ... Quelques fractions de secondes plus tard, pourtant hors d'elle et à bout de souffle, Nancy, qui ne tarissait pas, ajouta, néanmoins.

- Pis[10] ça va faire ... J'en ai assez de toi et de tous tes commérages ... Tu es pire qu'une femme, quand tu te mets à parler! Une vraie pie, par moments! Laisse donc la chance aux autres, de façon à ce qu'ils puissent faire valoir, eux aussi, leur point de vue.

- Tu qualifies les femmes de pies, condamna Luc, qui avait l'impression de s'enliser, toujours un peu plus, dans cette amorce de conversation mais qui, en même temps, refusait de lancer la serviette sans répliquer, d'autant plus qu'il était conscient qu'il venait, tout juste, de marquer un point important.

Très édifiant! ... Tu as une belle conception de la gent féminine à laquelle tu appartiens. Tu perpétues cette ancienne

---

[10] «Pis», à débit rapide, en langage parlé, est une contraction fréquente de l'expression «et puis» ou du mot «puis», tout simplement.

mentalité à savoir que les femmes sont plus «placoteuses» que les hommes. Tant pis pour toi ... reste avec tes idées dépassées, si tu veux, mais, ne t'arroge jamais le droit de réduire les autres au silence...

- Et puis, ça ne vaut pas la peine, s'autosuggestionna Luc, en poursuivant après un moment, mais sans abandonner son ton moqueur, ironique, voire sarcastique : "O.K", "O.K.", je vais me montrer bon joueur et ... acquiescer aux désirs de «Madame», non pas parce qu'elle me le demande mais parce que, contrairement à ce qu'elle soutenait plus tôt, toute vérité n'est pas bonne à dire, d'après ce que je puis constater, actuellement, en tous cas! ...

- Fais donc cela! Ça va te changer!, tonna Candy... Reste pénard et silencieux! De toute façon, on s'aperçoit, facilement, que, dans les «discussions de filles», tu ne t'y connais pas du tout! Ta condition d'homme fait que tu ne veux pas ... que tu ne peux pas comprendre, surtout, d'autant plus que tu n'es pas encore véritablement un vrai homme mais uniquement un néophyte sortant à peine de l'adolescence ... Tu ne te sens pas un peu perdu, ici, mon jeune, parmi toutes ces femmes adultes?

À ce que je sache, à la porte d'entrée, c'est inscrit en toutes lettres : «Salon de coiffure pour dames». Alors, Dieu du ciel, laisse-nous parler à notre aise, entre adultes et entre femmes. Pour toi, c'est mieux comme ça, je te l'assure.

À partir de ce moment, Luc, sagement, domina son orgueil et décida de lâcher prise graduellement car il voyait que sa thèse se vérifiait et que, Candy, ce jour-là, était à prendre avec des pincettes et qu'elle ne pourrait se résoudre à entendre raison, de quelque façon que ce soit.

Peu connu par les femmes du salon, Luc préférait jouer prudence et attendre des appuis de la part de celles-ci, avant de continuer à élaborer sa pensée. De fait, il avait un soutien, en la personne de Meredith, mais il ne s'agissait que d'un support non verbal qu'elle lui avait indiqué, de façon informelle, lors de la discussion entre lui, Luc, et Candy.

Quelques sourires, quelques signes d'approbation de la tête et des «Hum! Hum!» fréquents, attestaient de l'assentiment de Meredith, tout au long du débat.

Il n'en aurait pas fallu plus à la plupart des gens pour continuer les invectives en espérant savourer la déconfiture de l'autre, «au plus coupant»[11]. Luc, quant à lui, préférait demeurer prudent, en poursuivant son évaluation personnelle. Bref, il se devait, avant d'aller trop loin avec ses accusations, de prendre le pouls des di-

---

[11] «Au plus coupant», signifie «le plus rapidement possible», «au plus vite» ou «sans délai».

verses opinions émises : il attendait une occasion plus propice encore, vraisemblablement.

Chapitre 4

Meredith était, immédiatement après Candy, la plus belle femme à fréquenter le salon de coiffure de Marthe. Réservée comme peu, elle n'avait pas un goût particulier pour les discussions criardes ni pour les envolées oratoires que certaines affectionnaient particulièrement.

Bien faire et laisser braire, c'était sa devise : elle prenait cet adage à son compte et l'avait fait sien. Une vraie beauté discrète et réservée qui, par son attitude, avait l'air de dire : «Restez à distance, je préfère».

À peine consciente de ses qualités esthétiques notables, elle ne possédait pas l'instinct félin d'une «chasseuse», notion qu'elle avait déjà définie, antérieurement, d'une façon personnelle, originale et on ne peut plus exhaustive.

En effet, plusieurs fois, antérieurement, Meredith avait pris l'initiative de donner avec «moult»[12] détails, ses idées et ses définitions de la «femme-chasseuse», telle qu'elle la concevait.

C'était cette femme qui possédait, d'abord, une sorte de septième sens qui la rendait apte et habile à dénicher de nouveaux prétendants et à les séduire, par la suite. De l'avis de Meredith, on devait distinguer trois catégories bien précises de femmes : les «femmes genres», les «belles femmes» et les «femmes jolies.»

****

Les femmes jolies, comme Candy, étaient ces femmes qui, à cause de leur beauté plastique exceptionnellement mirobolante, pouvaient tout se permettre, avec le sexe opposé. Pour elles, attirer le regard et gagner l'affection des plus beaux mâles de la planète Terre, s'avérait un jeu d'enfant : "The sky was the limit"[13] à leurs ambitions.

Pour ces raisons, selon les dires de Meredith, les femmes jolies, tout en demeurant réalistes, pouvaient envisager accéder à

---

[12] «Moult» : en ancien français, moult signifie «plusieurs».

[13] En bon français, cette expression signifie que les désirs des «femmes jolies» étaient illimités, comme le «ciel-firmament» qui se prolonge jusqu'à l'infini.

un pouvoir illimité de dépenser, c'est-à-dire à une capacité et à un potentiel économique presqu'infinis.

En effet, celles-ci, uniquement parce qu'elles étaient nées jolies plus que d'ordinaire, outre le pouvoir d'envisager conquérir n'importe quel homme parmi tous les plus beaux représentants de la gent masculine de la planète bleue toute entière, avaient aussi le loisir de choisir, entre tous, les plus désirables parmi les mâles les plus fortunés, de toutes les catégories d'âge.

Donc, un pouvoir sexuel s'ajoutait, automatiquement, à leur pouvoir économique, ce qui était loin d'être négligeable, non plus. À dire vrai, leur "background"[14] et leurs qualités esthétiques "glamour", leur permettaient de tirer une foule de ficelles, dans l'univers des volontés et des décisions masculines.

D'autre part, aucune nécessité, chez la femme jolie, d'avoir l'instinct de la «chasseuse», comme pour la femme genre, pour ne citer qu'elle. De fait, la femme jolie était totalement libre de posséder ce don ou pas. Cela n'avait pas d'importance en ce qui la concernait parce que, étant belle au superlatif, elle arrivait toujours facilement à trouver le prince charmant, aussi bien nanti qu'un vrai prince, par surcroît, évidemment : «Noblesse n'obligeait-elle pas?»

---

[14] En termes simples, les antécédents et caractéristiques -physiques, principalement- qui proviennent, en droite ligne, de nos parents, dès la naissance, selon les lois connues de la génétique.

Ainsi donc, rien ni personne ne freinait la femme jolie, dans sa quête d'un bonheur présent ou futur où tout était permis, sans restrictions, tant sur le plan affectif que pécuniaire.

De surplus, si, la première fois ou subséquemment, la femme jolie «avait fait erreur sur la personne», il lui était permis de se reprendre aussi souvent qu'elle le désirait, avec un ou plusieurs autres candidats car, étant d'une capiteuse beauté, elle était prédestinée à «pogner»[15] auprès de ces messieurs ou à provoquer, chez eux, un effet choc certain, même jusqu'à un âge assez avancé.

Bref, pour la femme jolie, il était quasiment écrit d'avance qu'il se trouverait toujours un mâle, quelque part et parmi les meilleurs, pour conclure que la femme jolie, offrait toutes les garanties du bonheur le plus parfait possible en ce monde, au point de vouloir allier sa destinée à la sienne.

L'unique ennemi de la femme jolie, et vraiment le seul, c'était la vieillesse qui lui ferait perdre une partie de ses attraits, comme à tout le monde, proportionnellement, mais, d'une certaine façon, à elle, moins qu'aux autres car, au point de départ, à sa naissance, elle était plus belle que la majorité, ce qui faisait que le résultat final risquait, chez elle, d'être moins désastreux que chez ses rivales.

---

[15] Produire un effet de séduction, être très populaire auprès des hommes, ici.

D'ici là, sa beauté quasi-incommensurable prédestinait la femme jolie, de l'avis de Meredith en tous cas, à jouir d'une plus belle vie, même en l'absence d'une caractéristique essentielle pour presque toutes les autres femmes, sauf pour elle : être une excellente prédatrice, un peu à la façon d'un fauve en liberté.

Donc, aucune nécessité, dans son cas, de ressembler à une bête sauvage en chasse continuelle car elle était perpétuellement chassée par des candidats masculins libres ou déjà impliqués dans des relations amoureuses plus ou moins stables.

En effet, toujours à cause de sa beauté hors du commun, la femme jolie n'avait pas besoin de provoquer pour être repérée par une foule de mâles, ce qui portait Meredith à affirmer, avec conviction, que la femme jolie, par définition, n'appartenait jamais à un seul homme car elle était difficile sinon impossible à garder et, par conséquent, infidèle, par définition ou par nature.

Dans l'esprit de Meredith, le potentiel de séduction de la femme jolie, comme sa remarquable beauté elle-même, s'avérait, aussi, presque sans limites, d'où le fait qu'elle se retrouvait, inévitablement, en situation de tromper son partenaire, ami ou conjoint du moment, parce qu'elle se trouvait, continuellement, convoitée d'avance par plusieurs mâles, à la fois.

Or, comme dit le proverbe : «L'occasion fait le laron.» Pour Meredith, le plus drôle, c'était que la femme jolie n'avait même pas le temps, ni occasionnellement ni en permanence, d'être libertine ou tentée, comme les nymphomanes par exemple, qu'un ou plusieurs hommes l'avaient déjà couchée, en pensée du moins, sur leur futur tableau de chasse ou sur leur liste des femmes à séduire, à tout prix, ne serait-ce que pour une seule nuit, «juste pour le "kick" de la chose»[16].

Meredith établissait un parallèle entre la femme jolie et Marilyn Monroe, femme désirée par «tous ceux qui se sentaient» -comme elle aimait le souligner pour s'amuser-, par les vrais mâles de la Terre dignes de ce nom et même par les plus grands de ce monde, à son époque.

Cependant, Meredith avait pris la précaution de statuer que, si la femme jolie s'avérait un fauve, en plus de toutes ses autres qualités visibles, tous les espoirs lui étaient permis mais, à elle, plus rapidement qu'à la belle femme ou qu'à la femme genre, ses deux rivales : plus qu'à toute autre, le monde masculin tout entier, non seulement était à sa portée, mais lui ouvrait et lui tendait largement des bras intéressés sinon amoureux.

Bref, cette femme jolie «n'avait rien à son épreuve» puisque, à ce moment, elle devenait un «femme jolie» doublée d'un des atouts de la «femme-genre», à cause de son côté félin et, par con-

---

[16] Juste pour le plaisir de séduire et, surtout, de pouvoir se vanter de l'avoir fait.

séquent, faisait figure de nouvelle femme «super puissante», apte à plaire et à affronter tous les obstacles susceptibles de survenir.

À proprement parler, avait dévoilé Meredith, il existait deux types de «femmes jolies» : celle qui se valorisait et qui ressentait du plaisir en affichant sa beauté, à l'extérieur, aux yeux des hommes éblouis d'intérêt, et celle qui pouvait se contenter «d'être belle» et d'attendre la venue des mâles appâtés par sa beauté voluptueuse qui, continuellement et immanquablement, ressortait et resplendissait, d'elle-même, indubitablement.

C'est cette beauté éthérée, presqu'inhumainement céleste qui, d'après Meredith, avait probablement contribué à la fabrication du mythe de la fameuse «femme blonde» qui, par définition, se devait, au départ, d'être «niaise», en plus. Pourtant, la «femme blonde», qui pouvait presque se retrouver sous l'étendard des «femmes jolies», était obligatoirement jolie mais, pas forcément «niaise ou niaiseuse»[17].

Néanmoins, d'une façon générale, la «femme blonde niaise» pouvait très bien attendre, sans mot dire, le mâle approprié, mais son attente n'était jamais longue car les idées préconçues et les préjugés de la société étaient favorables à n'importe quelle fille blonde, à priori. Conséquence, notait Meredith : les hommes en-

---

[17] «Niaiseuse» : mot du Québec, (québécisme, donc) qui signifie «niaise», en français international.

doctrinés et imbus de ces schèmes de pensée, croyaient paraître mieux, eux-mêmes, quand ils déambulaient avec, au bras, une fille blonde, même «niaiseuse».

Quant à la «femme blonde chasseuse ou active», elle attendait beaucoup moins longtemps que la «femme blonde non chasseuse passive» que les gens affublent, très souvent, du vocable suave de «femme blonde fade», uniquement par envie car, selon les schèmes stéréotypés bien installés dans l'esprit de la plupart des gens, cette femme blonde même fade serait, avec la femme jolie non chasseuse ou passive, une des plus populaires de toutes, généralement parlant.

****

Quant aux «belles femmes tout court», d'après la conception que Meredith avait affiché et abondamment publicisé, c'étaient celles qui présentaient des traits réguliers et des proportions correspondant aux créneaux de la mode et qui rencontraient les critères généralement admis par les différents représentants de toutes les couches de la société, homme ou femme.

D'après Meredith, ces critères faisaient que la belle femme, bien que pas époustouflante et moins "sexy" que la femme jolie, n'accusait aucun défaut majeur. Si, elle aussi, désirait et attendait qu'on vienne au devant d'elle, c'est qu'elle s'apparentait davantage au mythe de la «femme jolie blonde niaiseuse, ou niaise».

Mais, contrairement à la femme jolie, la belle femme pouvait attendre passablement de temps avant d'impressionner quelqu'un, surtout si elle ne se démarquait pas en devenant une belle femme chasseuse, en plus.

En effet, Meredith prétendait qu'il existait encore deux types de belles femmes : la «belle-femme-chasseuse», nécessairement intelligente, et la «belle-femme-non-chasseuse», imperceptiblement intelligente, souvent perçue et confondue, à tort, avec la «femme-jolie-blonde-niaise-fade» à cause, notamment, de la plus grande durée de son temps d'attente et de sa passivité.

Si l'on acceptait de prêter foi aux suppositions de Meredith, c'était cette femme jolie blonde niaise fade qui avait tant fait couler d'encre et qui avait inspiré une série d'histoires portant sur la «femme blonde», en général, de qui l'on disait «qu'elle n'était pas stupide mais blonde.»

* * * *

Enfin, en ce qui concernait la «femme-genre», et Meredith l'avait déjà énoncé avec plus d'assurance encore, elle était, automatiquement, une femme chasseuse car il n'existait qu'un seul type de femmes de ce style.

Meredith croyait, dur comme fer, appartenir, elle-même, à ce type, même si les clientes du salon de coiffure, elle l'avait vérifié, la classifiaient plutôt au rang des belles femmes, imperceptiblement intelligentes, mais assurément passives. D'ailleurs, Meredith cachait mal son admiration pour cette femme genre qui, à son avis, était finalement privilégiée par rapport à celles de tous les autres types, d'où cette erreur de classement par rapport à elle-même.

Avantagée, certes, sauf sur un point. En effet, à moins que les hasards de la chasse l'ait favorisée, la «femme-genre-tout-court» ne pouvait, d'aucune façon, envisager la séduction de très beaux hommes riches, mais uniquement de beaux Apollon de classe moyenne ou, tout au plus, avec beaucoup de chance pure, d'Adonis de classe moyenne supérieure : jamais de «classe supérieure, tout court».

Toutefois, avait poursuivi Meredith, ce que les femmes genres perdaient en beauté plastique et en possibilités monétaires, elles le regagnaient au chapitre des qualités du coeur des prétendants masculins qui, comme toutes les femmes genres, étaient, automatiquement et autant, dotés de qualités d'âme exceptionnelles, parce que recrutés par des femmes genres cherchant, inconsciemment, et trouvant, nécessairement toujours, le pendant masculin de leurs propres qualités morales.

En effet, selon Meredith, en tous cas, les femmes genres, étant plus accessibles que toutes les autres à cause de leur simplicité et de leur capacité de développer et d'entretenir des relations interpersonnelles très facilement, inspiraient toujours, des correspondants masculins avec le même profil et les mêmes valeurs et priorités face à la vie.

Cependant, les femmes genres devaient utiliser, selon les occasions, des artifices comme des lotions, des crèmes de beauté, des lavendes, des eaux de cologne, de multiples parfums, toutes la panoplie des maquillages et des coiffures susceptibles de se conjuguer et de s'harmoniser parfaitement avec leurs tenues vestimentaires triées sur le volet.

C'était le prix à payer si les femmes genres ambitionnaient de se hisser, même si ce n'était que partiellement et modestement, au rang des belles femmes et des femmes jolies qui, de leur côté, l'étaient naturellement, sans recours à aucun élément artificiel, extérieur à elles.

Pour leur part, les femmes genres, d'après ce que Meredith avait statué, n'étaient que moyennement jolies, au départ, et leurs proportions, somme toute, assez ordinaires et de «un peu» à «assez enrobées», souvent.

Comme les femmes genres étaient, en permanence, conscientes, plus qu'il n'était raisonnable, de leur beauté, ces représentantes de la gent féminine restaient donc celles qui, à prime abord du moins, attiraient le plus les regards des mâles, et qui, à proprement parler, plaisaient le plus aux hommes, «sur le coup», sur-le-champ ou à priori, mais pas à postériori.

En d'autres termes, elles avaient tellement l'air de savoir qu'elles étaient belles, qu'elles finissaient par le faire croire aux autres et par irradier, en mettant à profit tous les artifices disponibles, des ondes de beauté, autour d'elles.

D'après Meredith toujours, ces femmes genres moins gâtées par la nature à la naissance, demeuraient les plus expertes quand il s'agissait de faire valoir, au grand jour, leurs charmes, et ce, à 125 %. Bref, elles possédaient le don de «vendre» et de publiciser leur beauté en l'exposant, sans gêne, directement, ostensiblement et «chaudement» aux yeux gloutons et avides de conquêtes de leurs futures victimes masculines.

Donc, moins époustouflantes et éblouissantes que les véritables belles femmes ou que les femmes jolies, les femmes genres, ne savaient pas qu'elles n'étaient pas des Aphrodite ni des Vénus, mais s'en doutaient, inconsciemment, ce qui les amenait, les forçait même à déployer plus d'énergie et de ferveur que leurs rivales, dans leurs tentatives de séduction.

De fait, à la longue, elles finissaient par ne plus être en mesure d'évaluer leur beauté réelle, car elles attribuaient et s'attribuaient, à elles seules, tout le mérite de leurs effets positifs sur les hommes. Néanmoins, en vérité, leur succès dépendait de la beauté conjuguée de l'ensemble de leur personnalité et de leur corps, mais aussi et en même temps, parfois même tout autant, de la «beauté ajoutée» à ceux-ci, par l'utilisation "glamour" et savante de l'ensemble des différents produits de beauté disponibles dans le marché.

En définitive, elles en arrivaient à ne plus admettre que leur beauté n'était que relative, confondant, du même coup, beauté globale, telle qu'elles la projetaient et telle qu'elle était perçue par des mâles sous l'emprise de leurs charmes, et beauté objective ou presque parfaite, s'apparentant à celle dont jouissait la femme jolie.

Quoiqu'il en fût, selon les prétentions de Meredith, l'entreprise de séduction des femmes genres fonctionnait à merveille, même si une minorité de gens de sexe mâle préféraient d'emblée et prévilégieraient toujours les belles femmes ou les femmes jolies, surtout celles qui s'ignoraient et qui n'étaient pas du tout ou pas très conscientes de leurs avantages esthétiques.

Autrement dit, d'après Meredith, si les femmes genres, autant que les belles femmes et les femmes jolies, avaient le privilège, à la limite, de se sentir belles, elles n'avaient, pas plus que les autres, le droit de le savoir ni de le laisser paraître ou deviner, en paroles ou en gestes, à l'extérieur.

À son avis, donc, si tous les goûts se retrouvaient dans la nature, il n'en restait pas moins que, les tendances naturelles d'une large proportion des hommes, les propulsaient vers les femmes genres qui, toutes, sauf exception rarissime, roulaient magnifiquement des hanches.

En effet, à tort ou à raison, elles se sentaient «plus sexy» que toutes les autres, parce qu'elles étaient en contrôle complet et en parfaite possession de leurs moyens, donnant ainsi l'impression d'être plus désirables et plus intéressantes à côtoyer, un peu comme des «êtres à part» qui avaient l'air «d'avoir une âme» et un charisme qui invitait aux rapprochements et attirait les confidences.

Elles incarnaient, en quelque sorte, un genre de «savoir vivre» et de «savoir être» «en plénitude» qui avaient un effet d'entraînement, extrêmement sécurisant pour les proies masculines qui en venaient presque à vouloir se laisser attraper consciemment, même si la majorité des prétendants-candidats n'y voyaient que du feu et se faisaient capturer, à leur insu.

L'opinion de Meredith était que, de leur côté, les belles femmes non chasseuses et les femmes jolies non chasseuses, avaient beau dire qu'elles «se foutaient» de posséder, ou pas, ce don inné de chasseuse, il n'en restait pas moins que, si elles ne modifiaient pas leur attitude pour devenir comme ces femmes genres, -ces prédatrices naturelles semblables à des félines devant leur butin-, toutes les autres femmes seraient condamnées à «vivoter», pendant que les femmes genres chasseuses, pour leur part, auraient la prérogative de «vivre» intensément, parce qu'elles seraient parvenues à se hisser, par leurs agissements bien calculés et à l'aide d'artifices multiples, au niveau de toutes ses rivales des autres types, étant presque devenues, subitement et dans les faits, de nouvelles belles femmes ou des femmes jolies inopinées.

En effet, du point de vue des mâles qui les dévoraient des yeux et les dévisageaient avec convoitise, certaines femmes genres pourraient, dans ces conditions particulières seulement, autant que celles des autres catégories, rafler quelques-uns des meilleurs candidats masculins, tant sur le plan beauté que sur celui de la richesse, les «hommes-cobayes» ne s'apercevant du subterfuge que très longtemps après avoir convolé en justes noces ou décidé d'allier leur destinée à une femme genre, soit trop tard!

Chapitre 5

Comme des affirmations sans preuves ne valent rien, Meredith avait pris l'habitude d'étayer, d'appuyer et de raffermir son hypothèse générale, au moyen d'une histoire simple qu'elle ramenait sur le tapis et renarrait en privé, à demande, mais le moins possible, en public.

En effet, Meredith, en général, n'aimait pas répéter et se disait que si, d'aventure, une cliente du salon ignorait sa conception très personnelle des femmes, cette personne n'avait qu'à s'informer auprès d'elle ou à d'autres habitués : de l'avis même de Meredith, ces informations appartenaient au passé et elle était contre l'idée de vivre dans ses souvenirs, préférant le présent sur lequel elle pouvait agir, en le modelant, selon ses désirs du moment.

Un jour, raconta-t-elle, une femme genre, c'est-à-dire une femme de beauté moyenne, se retrouva sur un quai où elle assistait, en compagnie de beaucoup d'autres belles femmes et de femmes jolies, au départ de compétitions mettant en vedette des embarcations de course.

Au lieu de se disputer avec ses rivales et de chercher à attirer l'attention d'un très bel homme, apparemment riche, qui se trouvait sur les lieux et qui s'était lui-même présenté en revendiquant le titre de capitaine, une femme genre, vêtue d'une impressionnante robe noire, voluptueusement transparente et osée, faisait, de sa main gantée de blanc, un signe discret d'au revoir au marin qui possédait un imposant et superbe bateau de plaisance.

Cette somptueuse robe de soie noire, qui battait au vent avec désinvolture et qui transportait avec elle la volupté des formes et l'odeur du parfum de la femme genre, chasseuse de son état, contribua à lui faire remporter, haut la main, cette étrange «chasse à l'homme» et ce, malgré que la robe n'ait dévoilé qu'une infime partie des atouts anatomiques de la femme genre.

Cependant, comme la femme genre avait confiance en elle-même, qu'elle était bien dans sa peau et dans ses attitudes générales, le riche capitaine la remarqua et l'invita aussitôt à monter à bord de son respectable yatch, pour partir avec elle, pour une longue randonnée, au grand désespoir des belles femmes ou des femmes jolies, en général, niaises ou pas, fades ou pas.

Du point de vue de Meredith, la «femme genre» avait gagné la confiance du marin parce qu'elle n'avait pas lésiné, quant aux détails : elle avait souligné certains traits caractéristiques de son visage, suite à une intelligente et parcimonieuse utilisation du blush et d'autres produits de maquillage, surtout pour les yeux qui, dit-on, sont le miroir de l'âme.

Elle avait choisi de faire ressortir ses proportions physiques, à l'aide d'un petit ruban blanc à l'extrémité des manches de sa blouse, à la taille et au cou, qui découpait sa gorge très bronzée et qui contrastait avec la noirceur de sa vaporeuse et ravissante robe. Son parfum du jour, même s'il embaumait un peu trop l'atmosphère environnante, laissait à penser, au candidat masculin potentiel, à quel point il serait bien, dans les bras de cette vraie femme, dans le sens fort du mot.

Quoi qu'il en soit, les autres femmes, pourtant naturellement plus belles et mirobolantes que la «femme genre» en robe de soie noire, avaient perdu la bataille, au profit de la femme genre et cela, pour deux raisons précises, avait déclaré Meredith, avec assurance.

La première, c'était que les belles femmes et les femmes jolies, ne disposaient pas, au départ, contrairement aux femmes genres, nécessairement chasseuses et mieux pourvues d'astuces, à ce chapitre, d'une artillerie lourde de séduction, c'est-à-dire de ce fameux pouvoir inné facilitant les contacts spontanés et aisés avec autrui, que Meredith qualifiait originalement de rapports «il va de soi».

La seconde, c'était que, uniquement par envie, les belles femmes et les femmes jolies, faisaient mauvaise publicité aux femmes chasseuses qui devenaient rapidement, aux yeux du public, des grues ou, à tout le moins, des dévergondées qui passaient continuellement par le sexuel, pour mettre en relief leurs qualités morales ou de coeur.

N'empêche que, toutes les femmes, sauf la femme genre, avaient été abandonnées sur le quai, par le marin, en même temps que leurs scrupules, leurs valeurs et convictions étroites, drapées et enfirouapées[18] dans leurs robes sévères et pudiques, qu'elles avaient pourtant tenté, en vain, de mettre en valeur.

À l'instar des prêtres d'autrefois, toutes les femmes, sauf la femme genre, pouvaient toujours s'esquinter la voix et prêcher la loyauté, l'abstinence, la privation et la droiture, qu'elles risquaient

---

[18] [(Enfirouapé est un néologisme (mot nouveau) inventé et fabriqué à partir de l'expression anglophone "in fur wrapped" qui signifie «enveloppé (d'une) (ou de) fourrure(s)», au sens propre"; au sens figuré, «emberlificoter», signifie tendre un piège, tromper avec de beaux discours ou avec une multitude d'arguments erronés qui sont, ni plus ni moins, que des sophismes, c'est-à-dire des raisonnements qui ont toute l'apparence de la vérité mais qui, de fait, s'avèrent logiques mais faux, du moins en partie, sinon en totalité)].

de rester seules ou d'être laissées pour compte sur un quai ou ailleurs.

Pour sa part, la femme genre, en robe noire suggestive, qui n'avait pas hésité à tirer parti de quelques poses plastiques et de plusieurs déhanchements et postures "sexy" qui avaient l'air de dire «savez-vous que c'est q'sé que je veux exprimer», profitait de la vie et du temps qui passait parce que, justement, elle n'avait rien négligé et tout mis en oeuvre pour «avoir du bon temps».

Son bustier, affichant un décolleté plongeant mais de bon goût, parvenait à peine à contenir ses seins plantureux qui semblaient vouloir s'échapper de leurs amarres, inquiétait les belles femmes qui ne se gênaient pas pour passer des commentaires désobligeants, à ce sujet. Les belles femmes pouvaient prétendre que cette femme genre en était une aux moeurs dissolues, cela n'empêchait pas que, ce jour-là, leurs cris étaient demeurés vains parce nullement considérés par le capitaine du rutilant et énorme bateau.

En d'autres termes, pendant que la femme genre jouissait de la vie, les belles femmes «restaient sur le carreau»[19], à rêver du prince charmant, frustrées et choquées contre elles-mêmes. De plus, si la femme à la robe noire, la femme genre, avait résisté, par principe, aux avances du marin, elle n'aurait pas tenu le coup long-

---

[19] Cette expression signifie : «Étaient laissées de côté» ou restaient pantoises.

temps, sans risque d'être laissée de côté, elle aussi, et de se voir préférer une autre candidate en attente.

Mais, au préalable, le pilote du bateau, déjà attiré par elle, aurait certainement fait des pressions verbales en précisant, à la femme genre, avec impatience : «Tu embarques, oui ou non! Décide-toi et vite! Je peux en choisir une autre qui n'aura pas peur, d'avoir peur d'avoir peur!»

À ce moment, il est sûr que la femme genre, se fiant à son intuition à fleur de peau et obéissant à la nature et à sa nature dotée d'un instinct indéfectible, aurait suivi celui qui l'interpellait, comprenant et évaluant, en un millième de fraction de seconde, l'urgence de la demande, alors que les belles femmes et les femmes jolies, auraient tergiversé, de midi à quatorze heures, juste assez longtemps pour rater leur chance.

Donc, si cela est inné, chez la femme genre, c'est acquis douloureusement, et souvent trop tardivement, chez les deux autres types de femmes. En effet, contrairement à ces dernières, la femme genre n'a pas besoin d'être dotée d'une intelligence supérieure ni d'un quotient intellectuel inhabituel, implacablement logique et déraisonnablement raisonnable, pour comprendre qu'il lui faut agir et vite, dans ces situations.

À l'opposé, selon Meredith, une femme genre, avec une beauté moyenne conjuguée à une certaine spontanéité, frisant presque la déraison, parfois, aurait suffi à attirer les regards des hommes et à susciter leur intérêt.

****

Somme toute, Meredith possédait une conception plus que spéciale et spécifique des femmes de la planète. On lui avait mentionné fréquemment, de vive voix, qu'elle était très originale et elle l'avait démontré, elle-même, puisque, d'une certaine façon, elle représentait, à elle seule, un type d'être humain particulier assez difficilement classable, à prime abord.

Ainsi, dans son cas, il fallait distinguer entre la Meredith, théoricienne d'occasion, et la Meredith de tous les jours, la praticienne, telle qu'elle se dévoilait au quotidien et telle qu'elle était vraiment perçue par les filles du salon de coiffure soit, finalement, la différence entre les idées émises par Meredith et la véritable personne de la vraie Meredith, telle qu'elle apparaissait, en public.

Par exemple, Meredith avait erré lorsqu'elle s'était elle-même classée au rang des femmes genres puisque les autres clientes du salon la situaient, avec plus de réalisme, parmi les belles femmes non chasseuses, plutôt.

Ainsi, comme les critiques littéraires qui arrivent, très fréquemment, à mieux cataloguer les écrivains que ces écrivains, eux-mêmes, face à leurs propres oeuvres, de même, Meredith n'avait pas manifesté, pour elle-même, la même lucidité que lorsqu'il s'agissait des autres.

Cependant, celle qu'on se plaisait à appeler «la vraie Meredith», c'est-à-dire celle qui possédait, comme tout le monde, sa part de mystère, n'en demeurait pas moins très difficile à cerner et à définir en profondeur et ceci, malgré le fait qu'elle s'avérait facile d'accès, pour les gens, en général.

En réalité, l'authentique vraie Meredith était la représentation humaine de l'idéal à mettre sur un piedestal. Par le passé, les hommes étaient plus venus à elle, qu'elle à eux. Elle détestait les scénari planifiés d'avance et se disait que ce qui devait lui arriver dans la vie arriverait, autant en amour qu'à l'occasion de ses activités, dont son travail, d'autant plus qu'elle s'était toujours objectée à donner un coup de pouce au destin.

Comme Luc, sauf cette seule et unique fois où elle avait longuement élaboré sur sa conception plus que personnelle des femmes, Meredith était peu verbo-moteur, d'habitude.

C'était tellement véridique, qu'elle donnait à penser à ses amies qu'elle mettait en application le fameux principe de «Sois belle et tais-toi!», comme dans le cas de la belle femme niaise fade ou de la femme jolie passive. Curieusement, autour d'elle, elle faisait des envieuses qui confondaient son état d'être avec un certain snobisme.

Pourtant, il n'en était rien car elle se disait que si elle était assez belle -pas exagérément, comme Candy, qui se retrouvait indubitablement au sein des femmes jolies- ce n'était pas de sa faute et qu'il fallait trouver des responsables dans la nature ou dans son hérédité.

Elle croyait donc n'avoir aucun mérite parce qu'elle n'avait en rien participé à cette beauté qui était déjà contenue dans ses gènes, ses chromosomes et dans son A.D.N.[20] et ce, bien avant qu'elle ne voit le jour.

D'abord, Meredith pensait qu'il fallait être chanceux pour venir au monde «avec tous ses morceaux», pour utiliser une expression qui lui était chère et qu'elle se plaisait à employer. Alors, d'être seulement une femme genre, c'est-à-dire relativement belle, avec des traits féminins réguliers, un corps bien balancé et une personnalité correspondant à son physique, c'était déjà, pour Meredith, une sorte de gros et grand cadeau du ciel.

Incidemment, Meredith ne croyait pas, comme beaucoup d'autres, que les gens naissaient tous égaux. Comme tout le monde, elle avait lu les théories de Jean-Jacques Rousseau portant sur l'éducation de la personne humaine, mais elle ne croyait pas que

---

[20] Sigle ou abréviation pour acide désoxyribonucléique, l'A.D.N. est porteuse de l'information génétique de tout être humain et elle assure le contrôle de l'activité des cellules.

la femme et l'homme naissaient naturellement bons, ni beaux d'ailleurs.

Pour en venir à ce constat, elle n'avait pas besoin de considérer les performances des athlètes olympiques à la télévision, même s'ils étaient dotés, à la naissance, elle en était convaincue, d'un héritage génétique supérieur à celui du commun des mortels. Bien sûr, elle attribuait leur succès à un entraînement long, fastidieux et acharné, au fil des jours, des semaines, des mois et des années, mais elle n'oubliait jamais d'attribuer un certain crédit à leur hérédité.

Néanmoins, en dehors du clonage humain qui, par lui-même, prédisposait un être humain à devenir totalement semblable à un autre être déjà existant, en vertu des progrès de la science du nouveau siècle, elle ne croyait aucunement à la prédestination qui faisait que tel ou tel individu allait être beau, fort, une personne athlétique ou un sportif amorphe, un être supérieur l'ayant décidé, à un certain moment donné précis dans le temps. «Ça arrivait comme ça, c'était tout», à son avis.

La preuve c'était que certaines caractéristiques physiques «sautaient», parfois, des générations, comme elle le soulignait, à l'occasion, en prenant des exemples, parmi les personnes présentes. Les géniteurs pouvaient, d'après elle, influencer, quelque peu, l'état de santé général et le potentiel de résistance d'une personne donnée, mais elle n'était pas prête à leur accorder un rôle trop prépondérant.

En effet, à son avis, il ne s'agissait pas d'une règle générale susceptible d'être appliquée à tout le monde, sans distinction : des parents âgés et usés par le temps et par le travail, n'avaient-ils pas engendré des rejetons solides et en parfaite santé. Si ce n'était pas le cas, pourquoi, avait constaté encore Meredith, entendait-on si fréquemment, même si cela se faisait à la blague, la plupart du temps : «N'est-elle pas plus belle que sa mère ou que son père?» L'hérédité ne transmettait-elle pas des différences, si elle conférait des ressemblances?

Donc, la chance, pour Meredith, l'emportait sur tous les autres facteurs et une personne qui se glorifiait pour sa beauté, par exemple, c'était, pour elle, une personne qui n'avait rien compris à rien, qui n'avait pas assez réfléchi.

Meredith avait cette chance. Donc, elle en profitait quand elle entendait des compliments à son sujet, mais jamais dans le sens négatif de profiteuse. Elle se contentait de rester impassible, dans son coin, attendant que les louanges finissent.

Réfractaire à l'idée de faire valoir, elle-même, ses nombreux atouts, elle ne provoquait jamais pour plaire. Elle plaisait sans provoquer : alors, à quoi bon. Elle était belle mais donnait l'impression de ne pas le savoir. Elle ne vivait pas d'inconvénients à cause de cela car, des amis et des amants, durant sa jeunesse, elle en avait toujours eu, à satiété, sans provocation aucune.

À vrai dire, Meredith ne détestait que son prénom. Bien qu'exotique et rare, d'une certaine manière, elle le trouvait trop masculin en ce sens qu'il résonnait durement et qu'il s'avérait rauque, comme apparenté à des voix d'hommes matures. Tout le monde lui répétait qu'elle possédait un nom très original, mais Meredith prenait ces commentaires pour de la flatterie. Pour être rare, elle en convenait aisément.

Cependant, elle persistait à croire qu'il aurait mieux convenu aux personnages de drames shakespeariens, à cause de la syllabe inter-dentale finale de "dith", avec son fameux "th" anglais, qui ne facilitait pas la tâche des francophones, surtout.

Quoi qu'il en fût, elle trouvait son nom trop sévère, difficile à porter, à son âge, du moins. Mais, elle ne s'en faisait pas un problème car, comparativement aux qualités esthétiques, un nom n'était et ne serait toujours qu'un accessoire qu'elle pourrait faire changer, un jour, tandis qu'elle aurait à vivre, toute sa vie durant, avec l'héritage physique naturel reçu à sa naissance.

Bref, elle devrait s'habituer à son prénom, se conditionner à l'apprécier et à l'ajuster à son existence, en quelque sorte. D'ailleurs, les filles du salon ne voyaient pas d'inconvénients à son prénom, au contraire, surtout que, quand elle parlait français, elle avait un léger accent écossais qu'elles qualifiaient, toutes, d'extrêmement savoureux.

En effet, sa façon de parler, même une langue étrangère, comme le français, trahissait une volonté de bien faire et d'appeler les êtres et les choses par leur nom précis.

Femme de médecin, Meredith avait un sens aigu des convenances et de la bienséance. Rarement, on l'avait vue commettre des gaffes et des impairs. La mesure la caractérisait autant dans ses habitudes de vie que dans ses relations interpersonnelles. Elle était la personne toute désignée pour partager la vie d'un professionnel.

Meredith invoquait une autre raison valable pour s'estimer chanceuse. En effet, elle considérait qu'il n'était pas donné à toutes les femmes du monde, de se retrouver dans une alliance où presque tout était permis.

À vrai dire, Meredith, même si elle provenait d'un milieu social et économique moyen, ignorait tous les sens du mot privation, sauf peut-être sur le plan sexuel car, son époux était presque toujours absent.

Médecin spécialiste de haut niveau, le mari de Meredith, John, jouissait, déjà, à trente-six ans, d'une notoriété internationale et était très sollicité pour aller prononcer de nombreuses conférences dans les hôpitaux, les universités et les congrès les plus "up to date"[21] et "jet set"[22] de la planète.

Considéré comme une sommité internationale, en matière d'opérations à coeur ouvert, John avait vu certaines de ses opérations filmées et retransmises, de par le monde, en circuit fermé, parce qu'il s'avérait, en quelque sorte, un précurseur d'une médecine avant-gardiste, inconnue de la plupart des meilleurs spécialistes du globe.

Pour sa part, Meredith partageait cette gloire avec son époux car elle entretenait la conviction que, derrière tout grand homme, il fallait chercher une femme exceptionnellement équilibrée avec une volonté de fer et des projets clairement définis : somme toute, un être avec une pensée très bien articulée.

Ce préjugé favorable aux représentantes du sexe féminin, Meredith le partageait avec plusieurs de ses complices dont Marthe, le maître de séant qui, d'ailleurs, avait déjà appelé Luc

---

[21] "Up to date " : signifie, ici : «les plus à jour», «les plus de leur temps», les mieux vus et les plus prisés par les gens de la «haute société».

[22] "Jet set " : signifie «les plus à la mode» , «les plus époustouflants»,« les plus enviés du monde», les congrès qui, par leur aspect théâtral, s'apparentent le plus aux prestations publiques des vedettes du monde du spectacle.

pour remplacer Candy, dont elle venait tout juste de parfaire la mise en plis, à l'aide d'un séchoir portatif manuel, à piles.

Marthe s'activait donc, comme un diable dans l'eau bénite, pour éliminer les restes des cheveux coupés de Candy, sur le dessus, en bas et autour de sa chaise de barbier, de façon à ne perdre aucune précieuse seconde.

À cette fin, Marthe avait gardé le petit balai typique du siècle dernier -balai que ses parents lui avaient légué- car elle prétendait que celui-ci, compte tenu du temps consacré à l'installation et aux fréquents nettoyages de l'aspirateur électrique compact, était plus rapide d'utilisation que ce dernier, opinion que ses jeunes coiffeuses, qui versaient dans la modernité, ne partageaient pas, convaincues qu'elles étaient de gagner du temps avec l'outil le plus récent des deux, chacune étant plus persuadée que l'autre de «passer» plus de consommateurs, à l'heure.»

Quoiqu'il en fût, le temps n'était-il pas de l'argent, autant pour Marthe que pour ses collègues et clients qui, malheureusement pour les coiffeuses, se présentaient encore et toujours, en très grande majorité, les jeudis, vendredis et samedis, implacablement?

Chapitre 6

À chacune des fins de semaine que le bon Dieu amenait, Marthe et ses collègues devaient remporter une véritable course échevelée contre la montre. Alors que leur clientèle relaxait, le stress habitait les travailleuses de la coiffure mais davantage Marthe qui, en plus de son rôle de coiffeuse comme telle, devait gérer efficacement ses affaires de façon à réaliser des profits appréciables avec son entreprise que, bien sûr, elle souhaitait rentable.

Chez le personnel, cette tension allait grandissante à compte de 16.00 h., le jeudi, pour atteindre son point culminant à 20.00 h., le samedi, alors que, toutes, regagnaient lourdement leur maison, fatiguées, rompues, fourbues, vidées de leurs énergies et abruties comme des automates, presque.

Ce qui horripilait Marthe, plus que tout, c'était le manque de respect et de reconnaissance des consommateurs face à elle et vis-à-vis ses salariées, en général. Les habitués en exigeaient toujours davantage, en faisant fi de leur fatigue. Ils n'y pensaient même pas, au point que certains clients adressaient aux coiffeuses, sans gêne aucune, des critiques directes et offensantes mettant en doute les traitements dispensés, questionnant et contestant même les méthodes de coupe, d'ondulation, d'application des teintures ou d'emploi d'autres produits de beauté, par ces supposées artistes du cheveu, ces alchimistes de la coloration et ces esthètes au service de la beauté féminine, dans sa globalité.

Plusieurs clientes, sans cours ou expérience préalable dans ce domaine, prétendaient en savoir plus long que les coiffeuses attitrées et étalaient leur savoir d'autodidactes sous le nez même des praticiennes quotidiennes qualifiées, c'est-à-dire Marthe et ses collègues.

Mais, le reproche le plus fréquent, et celui qui faisait le plus mal car il mettait en doute le sens professionnel et la bonne volonté même des coiffeuses, c'était quand les clientes laissaient échapper des commentaires du type «il nous semble que, lors de notre dernière visite, vous aviez mieux réussi ceci ou cela et que, considérant le prix demandé pour le travail, nous avons, il nous semble, le droit de nous attendre à mieux, cette fois-ci», sous-entendant que les coiffeuses, y compris Marthe, avaient presque raté volontairement ou par manque d'application tel ou tel traitement donné.

Il s'agissait, en quelque sorte, d'un genre de procès d'intentions que les clientes du salon faisaient aux employées ainsi qu'une critique ouverte et sans vergogne de leur formation, de leur talent et de leur bon vouloir, même. C'était un peu comme si on leur avait dit : «Vous n'êtes pas bonnes, pas à votre place, à titre de coiffeuses diplômées», une sorte de critique ascerbe et fantasque, à l'emporte-pièce, mettant à dure épreuve leur image de techniciennes émérites du cuir chevelu.

Certaines d'entre elles réagissaient tellement mal à ces critiques qu'elles allaient pleurer, en catimini, à l'abri des regards indiscrets et des commentaires désobligeants, dans l'arrière-boutique étroite, située au fond du couloir, à côté de leur salle à dîner qui revendiquait, en plus, le titre de salle de repos et d'espace de rangement.

Cependant, dans le passé, certaines collègues de Marthe n'avaient pu se retenir et avaient déjà explosé, aussi, en paroles, de façon totalement imprévue, devant tout le monde et avaient lancé à leurs clientes : «Si nous ne sommes pas assez compétentes pour vous ... vous n'avez qu'à aller ailleurs; on ne vous a pas sonnés ... on n'a pas fait de sollicitation à domicile ... alors, vous savez ce qu'il vous reste à faire!»

Marthe, pour sa part, n'avait jamais «craqué» de cette façon, jusqu'à ce jour. Le fait d'être la patronne avait joué en sa

faveur car elle se devait de conserver sa bonne humeur et de favoriser une atmosphère générale de plaisir. C'était à ce prix, pensait-elle, que les clients continueraient de fréquenter son salon, moyennant que ses tarifs demeurent compétitifs et que son "staff"[23] persiste à impressionner par son affabilité.

Toutefois, à l'instar de ses employées et pour de multiples raisons, Marthe estimait, tout autant, que plusieurs clientes ne les considéraient pas à leur juste valeur, elle et ses collègues, pour des motifs divers.

Il y avait, bien sûr, leur travail, en situation de stress permanent, que bien peu de visiteuses remarquaient puisque, plus elles connaissaient intimement les employées, plus leurs exigences s'amplifiaient et se multipliaient.

La course contre le temps qu'elles subissaient par nécessité, les trois meilleurs jours de chacune des fins de semaines, -consommateurs nombreux et salaire obligeaient-, ce n'était pas leur problème ni le moindre de leurs soucis, aux clientes.

Les coiffeuses présentes, petites abeilles laborieuses suant parfois à grosses gouttes, l'été notamment et en particulier, au-

---

[23] Son "staff" : le personnel de l'établissement, ses employées, en français.

raient pu mourir «raides», d'une crise cardiaque que diverses clientes n'auraient pas changé leurs requêtes d'un seul iota[24].

Que de facilité les clientes avaient pour se convaincre que, dans certaines sphères de l'activité humaine, il était possible de trouver pire que ce challenge physique auquel, bon an mal an, les coiffeuses se mesuraient, après des mois et des années d'entraînement.

Et puis, de murmurer à voix basse les visiteurs, ces coiffeuses capricieuses et gâtées, ne pouvaient-elles pas se consoler en pensant que ces inconvénients faisaient partie des risques du métier et qu'ils équivalaient à ceux qu'on retrouvait dans la plupart des autres emplois existants?

D'autre part, ne devaient-elles pas se répéter qu'elles ne pouvaient tout contrôler comme elles tentaient de le faire, par exemple, avec les heures de visite des consommateurs? Ne se retrouvaient-elles pas dans l'obligation de se résigner à ne pas pouvoir tout «régenter» tout le temps, du moins pas totalement? Marthe n'avait-elle pas essuyé de cuisants échecs suite à maintes tentatives en ce sens?

---

[24] La lettre «i», qu'on nomme «iota», en grec, est la lettre qui, de toutes les lettres de l'alphabet grec, prend le moins d'espace sur une feuille de papier parce qu'elle consiste en un seul trait vertical court, courbé vers la gauche, en forme d'arc de cercle.

Ainsi en était-il des visites simultanées de Candy et de Manon. Comme Marthe détestait les voir se présenter ensemble, elle leur avait suggéré des heures précises et différentes pour l'une et pour l'autre.

En outre, même si elle essayait d'inscrire leur noms à son horaire, les lundis, mardis et mercredis, ça ne fonctionnait pas toujours, dans les faits : il y avait les désistements à cause d'imprévus, les annulations à cause d'événements de toutes sortes, notamment pour des motifs enfantins et des caprices présumés douteux, les modifications d'horaires, les jours fériés chômés et toute la panoplie des retards et des changements engendrés, quotidiennement, par la vie trépidante moderne, et caetera et cetera.

Enfin, comme Candy se présentait trois fois la semaine, à cause de cette obligation qu'elle avait d'être toujours parfaite pour son public, à chacune de ses soirées de danse, -la quantité et la qualité des pourboires de Marthe n'en dépendaient-ils pas?-, il était difficile de tout prévoir et de dicter, à Candy, sa ligne de conduite, d'autant plus qu'elle «avait les moyens» de s'offrir tous les services disponibles, allant de la simple coupe de cheveux jusqu'à l'épilation et même la talassothérapie et les bains de boue volcanique.

Bref, tous les traitements offerts s'avéraient à la portée de la bourse de Candy et elle en profitait puisqu'elle qu'elle se gâtait fréquemment. Certains jours, elle venait même au salon pour une légère voire inutile mise en plis, de dernière minute. Donc, à trois visites semaine, Candy risquait de se retrouver souvent en présence de Manon, et vice versa, au grand désespoir de Marthe. Parfois même, elle arrivait sans rendez-vous préalable.

À cause de cette contrainte et pour une multitude d'autres raisons, Marthe comprenait encore moins et n'admettait pas cette impossibilité des clients de se mettre à sa place ou à celle de ses employées à savoir de considérer que, les coiffeuses de son salon et elle-même, n'étaient pas des esclaves inconditionnelles au service d'omnipotentes et oppressantes clientes impossibles à contenter.

Cependant, durant ce laps de temps compris entre le jeudi matin et le samedi soir, outre le stress et la difficulté de concentration, il y avait aussi ce défi posé au bas du dos de Marthe et de ses collègues.

En effet, Marthe et toutes ses filles se plaignaient de malaises lancinants et pénibles au bas du dos, spécifiquement aux vertèbres lombo-sacrées du niveau lombaire et aux jambes à cause de leur obligation de se tenir en position «debout» des heures et des heures durant, sans quelque pause que ce soit, très souvent. Marthe répétait fréquemment, à la blague : «Il faut bien être là quand la «manne» nous tombe du ciel!»

Et les bras, comment les oublier? Ces pauvres instruments naturels que toutes les coiffeuses du monde doivent garder «en l'air», à la hauteur de la tête de leurs clients, même si ceux-ci ont tendance à ne pas admettre, à oublier ou à ignorer volontairement cet aspect de leur travail.

Qu'elles aient souffert le martyre, au fil des années, c'était un élément que la plupart des visiteurs feignaient de ne pas réaliser, à dessin. Après tout, si Marthe ou ses employées n'étaient plus en mesure de remplir leur mandat, Marthe n'avait qu'à en engager d'autres à sa place ou à la leur, concluaient-ils, d'une façon draconienne. C'était aussi simple que cela, du point de vue des visiteurs que l'altruisme ne risquait pas d'étouffer.

Ainsi, par exemple, Marthe devait surprendre tout le monde au plus haut point, dans son auditoire restreint, ce jour où elle a dévoilé que son bras droit, parce qu'elle était droitière avant tout, était devenu, avec les années, déformé et plus gros que son bras gauche. «Comment cela se fait-il?», s'étaient écriés en choeur, les clients présents, à ce moment. Surpris, ils crurent qu'il s'agissait d'une autre blague usuelle de Marthe, tellement qu'elle dût insister, voire renchérir pour que ses interlocuteurs accordent quelque crédibilité à ses propos.

Marthe dut faire une démonstration pour inculquer aux gens éberlués qui la fixaient, «comme un oiseau rare», d'un regard inquisiteur, qu'elle disait vrai. C'est alors qu'elle leva ses bras, une fois de plus, et leur prouva, de visu, que son bras droit était nettement plus gros que l'autre, parce que plus développé et musclé que son bras gauche. Elle ajouta, à la surprise de tout le monde : «Remarquez à quel point mon bras droit, à force de coiffer, s'est courbé vers l'intérieur, alors que l'autre est demeuré droit.»

Le plus surprenant c'était que, même après cette démonstration évidente en direct, certains sceptiques croyaient encore que cela était impossible et que Marthe essayait, derechef, de leur «en faire accroire une bonne». «Pourtant, rien de plus véridique», s'évertuait à répéter Marthe en dévoilant qu'elle connaissait des coiffeuses de métier qui ne «pratiquaient» plus à cause d'affreux maux au dos et aux bras qui avaient dégénéré pour devenir insupportables, après avoir exercé ce métier, quelques années seulement.

Pour sa part, Marthe avait dû se faire une raison, mais elle ne se gênait pas pour réitérer, en secret, à ses collègues incrédules : «Les clients «ne veulent rien savoir» du stress rattaché aux heures d'affluence concentrées, des maux de dos ou de bras. Ce n'est pas leur «affaire» ... le cadet de leurs soucis : ainsi, ils ne débourseraient pas un seul dollar de plus pour compatir avec nous et nos problèmes; enfin, «ils n'en ont rien à cirer»[25] d'entendre des coiffeuses «se lamenter «à coeur de jour.»

Depuis quand et pourquoi les consommateurs se soucieraient-ils des préoccupations d'un autre corps de métier que le leur? Ce serait le monde à l'envers ... un phénomène nouveau!

Ils pourraient toujours affirmer, comme Alphonse Daudet, que «À chacun son métier ... » et que, chacun des métiers, en paraphrasant Blaise Pascal, cette fois, possédait son lot de «grandeurs» et de «misères» et, en un sens, ils auraient bien raison.

Aussi, quel malin plaisir ils ressentiraient en soulignant que, si les coiffeuses avaient tendance à insister sur leurs trois journées les plus occupées de la semaine, elles étaient discrètes et parlaient peu des lundis, mardis et mercredis! Et ils auraient probablement eu encore raison, en partie du moins.

Nul n'aurait pu, en effet, contester que, durant les trois premières journées de la semaine, les coiffeuses avaient l'air de profiter de la vie, «de se la couler douce», en fumant comme des sapeurs, en lisant les journaux et en commentant les principales nouvelles régionales, nationales et internationales et les titres, à la une, des quotidiens, des hebdomadaires, des mensuels et des peti-

---

[25] Ils ne s'en soucient pas, ils s'en désintéressent, ici.

tes revues «quétaines à l'eau de rose»[26] qui pullulaient sur les présentoirs de tous les kiosques à journaux.

À ces moments-là, il était également véridique que, ces mêmes coiffeuses, devenues de simples citoyennes comme les autres, pouvaient se permettre, en toute quiétude, d'échanger sur les grandes questions se posant à la conscience des hommes ou à l'humanité en général, de déblatérer contre certaines mesures socio-économiques et culturelles de leurs adorés politiciens et même de calomnier et de médire à propos de leurs semblables.

Cependant, à ces occasions, ce que les coiffeuses semblaient ignorer, c'est que, en agissant de la sorte, elles scandalisaient leur public restreint et passaient pour de simples citoyens moyens ordinaires qui, comme eux, s'organisaient pour travailler le moins possible, faisant oublier, pour un temps, presque tous les éléments négatifs inhérents à leur profession, les reléguant au second plan, en termes d'importance. Elles contribuaient, ainsi, sans trop s'en rendre compte, à alimenter davantage la mauvaise publicité à leur sujet.

En effet, ce que la plupart des gens, qui constituent la société, ignoraient, c'est qu'une coiffeuse n'était rétribuée que pour chacun des clients qui se présentaient et qui faisaient affaire avec

---

[26] «Quétaines» : revues réputées faciles et superficielles.

elle, en particulier. Leur rémunération n'était donc basée que sur le nombre des clients accueillis sur leur propre chaise et sur la moyenne des pourboires que ceux-ci daignaient abandonner sur le comptoir, près de la caisse, et cela, malgré la stratégie éprouvée de Marthe, en ce sens.

À dire vrai, lorsqu'un client était sur le point de payer pour les services dispensés dans son salon, Marthe et ses collègues demandaient, immanquablement : «Voulez-vous du papier seulement ou du papier et de l'argent sonnant?»

Comme une coupe de cheveux régulière, à ce moment, coûtait 21,00 $, le client gêné ou timoré répondait, invariablement, la première fois du moins : «Laissez faire l'argent sonnant» et, en crânant un peu, ajoutait : «C'est pesant à porter pour rien et ça met à dure épreuve la solidité des poches ou des porte-monnaie» et il sortait, après s'être prouvé à lui-même qu'il avait du coeur, soit, mais, surtout, qu'il possédait ce pouvoir monétaire qui faisait tant de bien à son «ego». Il n'en restait pas moins que, du trente dollars qu'il avait posé sur le comptoir, près de la caisse-enregistreuse, un maigre cinq dollars (5,00 $), en papier, revenait au client, alors que le commerce empochait automatiquement quatre dollars (4,00 $), en argent sonnant, comme pourboire[27].

«Laissez faire le «concassé fin», l'argent en papier va suffire», affirmaient encore, avec désinvolture, les clients-adolescents masculins, en particulier, en comparant le trop plein d'argent sonnant, qu'ils avaient abandonné sur le comptoir près de la caisse, avec ce matériau qu'ils avaient utilisé, au moins une fois, dans le passé, lors de travaux de terrassement, au domicile de leurs parents ou ailleurs, alors qu'ils l'avaient négligemment répandu, sans précaution, un peu partout, sans regarder à la dépense- comme si le «concassé fin», aussi bien que l'argent sonnant, avait une valeur si négligeable qu'ils pouvaient se permettre de la gaspiller impunément-.

«Disons que c'est en guise d'appréciation pour l'excellent service», déclaraient encore beaucoup d'autres visiteurs, en flagornant et en ayant une impression de puissance momentanée, qu'ils avaient tôt fait de regretter, sur le chemin du retour à la maison, face aux regards désapprobateurs de leur conjointe ou conjoint, du

---

[27] Au Québec (Canada), d'où l'auteur, Marcel Gosselin, est originaire, le un dollar (1,00 $) et le deux (2,00 $) sont faits en argent sonnant, maintenant. Seuls les cinq dollars (5,00 $) et les dix dollars (10,00 $), etc., sont faits en papier : d'où le pourboire automatique de quatre dollars (4,00 $) en argent sonnant.

père ou de la mère de l'enfant en bas âge ou de l'adolescent concernés.

Tous les clients, énonçaient des phrases de ce genre, au moins une fois durant leur vie, même si seulement une minorité d'entre eux avait de la considération pour la personne de la coiffeuse et pour les services professionnels qu'elle rendait.

Ainsi, pour les remerciements et les pourboires, la majorité suivait les principes élémentaires de la décence et des conventions sociales généralement admises à ce moment, basés sur la bienséance ou encore dictées par les règles très générales d'un code d'éthique évident, mais minimal.

En effet, en apparence du moins, personne n'aurait voulu passer pour quelqu'un qui n'avait pas «le coeur placé à la bonne place», comme on dit communément. La vérité était tout autre, pourtant : plusieurs «se foutaient» carrément des personnes leur ayant prodigué de tels soins. Les apparences et leur honneur étaient saufs, ni plus ni moins : c'était tout ce qui leur importait!

Constatant qu'une erreur avait été commise par la préposée à la caisse, personne, sinon très rarement, ne le notifiait et le client, considérant qu'il bénéficiait d'un rabais inespéré, empochait l'argent sans mot dire.

Dans ce cas, elle devait éponger cette perte avec son propre salaire bimensuel. «La caissière n'avait qu'à être alerte, ce n'est pas notre problème», se répétaient entre eux certains clients, au sortir du salon de coiffure.

Chapitre 7

Depuis 10.30 h. surtout, les consommateurs de services stylisés qui n'étaient pas arrivés aussi tôt que les habitués, circulaient allègrement d'un côté à l'autre du salon. On aurait dit une authentique gare de triage, une véritable industrie bourdonnante de la coiffure : une vraie ruche humaine.

Même si certains collègues de Marthe avaient déjà largué plusieurs clientes, elles étaient aussitôt remplacées par d'autres dans un va et vient sonore constant, principalement à proximité du vestiaire et de la tonitruante et damnée caisse enregistreuse, située à la sortie de l'édifice.

En effet, les déplacements bruyants des clients étaient monnaie courante dans le salon de coiffure de Marthe. Cela témoignait de la popularité de celui-ci. Sur un arrière-fond de musique F.M. et de caisse enregistreuse prépondérante, les autres bruits engendrés par les conversations et les mouvements des visiteurs, accrochant leur manteau et déposant leur sac, leur bourse ou leur attaché-case, inondaient, en alternance, le local de Marthe.

Cependant, la chaise de barbier de Marthe, se trouvant à la dérobée, au fond, à gauche de la porte d'entrée, favorisait les échanges entre elle et sa clientèle.

Toutefois, Marthe laissait à sa caissière en chef le soin de "dispatcher"[28] les invités vers la coiffeuse choisie ou «immédiatement disponible» afin d'éviter la congestion à l'entrée et face aux porte-manteaux.

De plus, le tout s'effectuait dans un brouhaha restant dans les limites du tolérable car, la caissière de confiance de Marthe, Lisa, se chargeait de prendre certaines décisions pratiques de fonctionnement interne et de rangement à la place des clients fréquemment essoufflés et désorientés, à leur arrivée, dans cet environnement occasionnel.

Lisa, une comptable de formation, s'avérait le bras droit de Marthe. Sans toucher le salaire correspondant à ses responsabilités, elle cumulait une multitude de fonctions disparates pour lesquelles elle ne touchait que quelques heures supplémentaires par ci par là, en particulier lorsqu'elle acceptait de rester un peu plus tard -si elle en avait envie seulement, car, dans le cas contraire,

---

[28] Orienter, diriger, aiguiller.

elle refusait tout simplement- pour accompagner et, surtout, dépanner Marthe avec ses damnés chiffres problématiques.

Standardiste par obligation, Lisa représentait, pour Marthe, la solution à plusieurs de ses problèmes, en effet. Détestait-elle fixer des rendez-vous à ses clientes que Lisa le faisait. Avait-elle désiré une préposée stricte et "super" honnête pour ne pas avoir à se soucier trop souvent, elle-même, de la caisse, que Lisa avait aussitôt accepté de jouer ce rôle négatif de surveillance.

Avait-elle souhaité voir clair dans ses déclarations de revenus commerciaux et personnels que Lisa avait acquiescé promptement aux requêtes de Marthe, d'autant plus qu'elle était comptable agréé.

Autant la paperasserie, les bilans et les rapports à rédiger pour les gouvernements horripilaient Marthe, autant ceux-ci valorisaient Lisa, qui obtenait toujours plus que ses collègues qualifiés dans la même discipline, en termes de remboursements d'impôts et de rendements des placements effectués.

Bref, de dire que Marthe détestait les chiffres, les états de compte et caetera et cetera, aurait été un flagrant euphémisme. Tout ce qui se rapportait, de près ou de loin, aux mathématiques ou à l'informatique «l'enfant-de-chiennisait»[29] au plus haut point, «comme ça ne se pouvait pas!»

En effet, chez Marthe, cette répulsion était d'autant plus présente qu'elle considérait que nous vivions tous sous le joug d'un nouveau siècle qui, comme le précédent avait, au départ, un préjugé favorable aux sciences exactes, aux chiffres et à la sacro-sainte omnipotente et omniprésente informatique devenue une véritable religion, ainsi qu'à Internet, une autre technologie étroitement liée à l'informatique et nouveau dieu du vingt et unième siècle.

C'est aussi Lisa qui agissait comme modératrice quand des «échauffourées» étaient sur le point de se produire comme, par exemple, ces discussions vives concernant l'ordre d'arrivée, comme principe à respecter. À ce propos, Lisa avait décidé de s'adapter aux circonstances, à défaut de pouvoir empêcher les conflits de se produire. C'est pourquoi, en plus d'un «ordre d'arrivée», Lisa avait établi un «ordre de priorité».

Si un combat oratoire furieux, comme celui qui avait opposé Candy à Manon, se produisait, Lisa pouvait éviter sa prolonga-

---

[29] Néologisme (nouveau mot) provenant de l'expression «enfant de chienne» qui signifie davantage qu'«horripiler», c'est-à-dire exaspérer, mettre hors de soi, «au maximum de tous les maxima possible»; ce terme peut signifier, aussi, lasser, «écoeurer», dans le sens d'irriter, de fatiguer ou de déranger au superlatif, au paroxysme, autant qu'il est humainement possible de le faire.

tion et sa dégénérescence en utilisant, en catimini, la liste de priorité.

En ce qui concernait ces deux dernières belligérantes, Lisa avait déjà trop patienté. Alors, pour corriger son erreur, elle avait dit à Marthe, à voix basse, de demander Luc, à sa chaise, plutôt que Jennifer.

Dans son esprit, deux faits s'avéraient clairs : en suggérant à Marthe de demander Luc tout de suite, elle s'assurait que Candy quitterait le salon, dans les plus brefs délais; de plus, comme les coupes de gars s'effectuaient, règle générale, plus rapidement que celles des filles, elle créerait bientôt une autre place pour Jennifer, en plus d'avoir permis, voire favorisé, au préalable, la sortie de Candy.

Enfin, comme Luc s'était assez fortement opposé à Candy, lui aussi, Lisa réglait, ipso facto, deux problèmes à la fois et, à proprement parler, faisait d'une pierre deux coups : à court et à moyen terme, elle éliminait Candy et Luc, évitant ainsi l'engorgement du salon de coiffure de Marthe.

L'ordre de priorité, par rapport à l'ordre d'entrée, c'était une sorte de liste secrète confectionnée à partir des rendez-vous pris au salon et de ceux notés au téléphone. Donc, avec cette fameuse liste de priorité, Lisa se donnait une respectable marge de manoeuvre puisqu'elle pouvait jouer à sa guise avec cette liste inconnue de tous, sauf d'elle.

En conséquence, dans son esprit, elle avait le loisir d'établir une troisième liste flexible, directement proportionnelle aux possibilités de la chaise de chacune des coiffeuses et aux interrelations positives ou négatives probables ou constatées entre des clients donnés.

D'autre part, durant les fins de semaines, à cause de la très grande affluence, Lisa tenait même compte de l'importance, en termes de sous, des désirs exprimés par certains consommateurs au détriment de ceux qui n'avaient demandé qu'un modeste et maigre «lavage de cheveux», par exemple.

À la limite, en cas de manque de temps, c'étaient les «clients plus payants» qui étaient priorisés et c'était encore Lisa qui s'était vue octroyée la tâche de demander à certains clients, les hommes plus que les femmes en général, de revenir le lendemain.

Cependant, ceci n'arrivait qu'exceptionnellement, en cas de pannes d'électricité, notamment, mais aussi en d'autres occasions. En effet, Marthe se faisait un devoir de recueillir la «manne» personnifiée par les gens présents, d'autant plus qu'il y avait danger de froisser les susceptibilités des personnes dont les rendez-vous avaient déjà été déplacés une fois et plus.

D'aucuns pouvaient être insultés au point de ne plus jamais revenir. C'est pourquoi, presque tout le temps, Marthe prenait à sa charge les clients qui restaient et s'organisait pour terminer leurs traitements, en s'imposant volontairement des heures supplémentaires.

En cas de panne quelconque, si une femme se faisait prendre en plein milieu de son traitement -une teinture, par exemple- Marthe s'organisait pour le parachever avec les moyens du bord, en faisant toujours en sorte que sa cliente soit «présentable», quand elle rentrait à la maison, en prévision d'un retour au salon, le jour suivant.

Alors, elle devenait, à coup sûr, la première, sur une nouvelle liste officielle improvisée, rendant «nulles et non avenues» toutes les autres listes, secrètes ou non. Cependant, tout n'était pas réglé pour autant.

En effet, ces événements rarissimes engendraient toujours des situations très cocasses pour les coiffeuses et extrêmement humiliantes pour les clients, telle une coupe de cheveux pratiquée juste «à moitié de tête» ou encore une coiffure moderne, d'un côté du crâne et, l'ancienne, plus conventionnelle, de l'autre côté de l'occiput.

Dans ces cas, Marthe devait «patiner», de nouveau, pour exprimer sa désolation aux clientes qui, instantanément, se sentaient outrées, pas respectées, comme consommatrices, par les coiffeuses concernées, alors que le vrai responsable était uniquement le manque d'électricité.

Même si Marthe prenait la peine de clairement préciser qu'elle n'y pouvait rien et que 98 % de ses appareils fonctionnaient à l'électricité seulement, la plupart des clientes n'acceptaient pas ses justifications et avaient tendance à confondre son impuissance, face à des événements fâcheux indépendants de sa volonté, avec une certaine paresse caractérisée ou avec une volonté «de ne rien faire» et «de tomber en congé», d'une façon inespérée.

Si d'aventure, ses visiteurs ne posaient pas, sur elle et ses employées, un jugement catégorique ou de valeur, Marthe avait parfois le fou rire en imaginant les réactions et l'ironie de leur partenaire, les sarcasmes, même, des voisins et de la parenté. Souvent, «ça brassait dans la cabane», là où les crises de rage et de pleurs étaient monnaie courante.

«Ventre affamé n'a pas d'oreilles» stipule le proverbe populaire et Marthe s'en était inspiré pour inventer une formulation personnelle de circonstance, très discutable de l'avis même de plusieurs clients : «Femme incomplètement coiffée devient semblable à jument indomptée.»

Quoiqu'il en fût, après le départ de Candy et de Luc, Marthe redevint plus sereine car elle estimait que le pire de sa journée de travail était derrière elle : personne d'autre, présentement dans son salon, ne nourrissait une répulsion naturelle et viscérale comme celle de Manon par rapport à Candy. Cependant, elle eut peur, momentanément, lorsque Manon intervint de nouveau, alors que Marthe s'attendait à des commentaires de Jennifer, plutôt.

- Bon, Candy est enfin partie!, s'écria Manon, avec un soupir de soulagement. Bon débarras! N'est-ce pas les filles?

- Pourquoi donc as-tu une telle rancoeur contre Candy, lui demanda Marthe, pour la forme, car elle partageait son avis.

- Parce que Candy est une prétentieuse et une menteuse!

- «Pourquoi ne lui as-tu pas dit, toi-même, quand elle était présente?», d'insinuer Marthe, le regard par-dessus ses lunettes, mais en direction de Manon.

- Parce que ... parce qu'elle savait très bien ce qu'elle faisait!

- Pas d'autres raisons?

- Imaginez-vous, les filles, que mon mari est ... «allé aux danseuses», samedi soir dernier, et que Candy était là, à s'exhiber, nue comme un ver ... et que, ce qu'elle faisait ... je suis incapable de le décrire ... était très ... très loin d'être de l'art, comme elle l'a prétendu plus tôt! ...

- Ah! Ton mari y était aussi, osa Marthe, à la blague. Est-ce qu'il a aimé ça, au moins?

- Cesse tes plaisanteries, toi, Marthe! ... De toute façon, je sais ce que tu en penses, vraiment!, coupa Manon. Moi, je ne trouve pas ça drôle! S'il n'y avait pas de filles comme celles-là ... des grues peu scrupuleuses ... des putins pas respectueuses du tout ... il y aurait moins de problèmes, de divorces et ...

- En supposant que je sois d'accord avec toi, Manon, ne crois-tu pas que ces putes ... comme tu dis ... ne survivraient pas s'il n'y avait pas de clients mâles pour les encourager? La présence de ton mari le condamne, non?

- C'est "correct"[30], Marthe, tonna Manon, piquée au vif. N'en mets pas plus que le client en demande! Ça va bien faire, comme ça! Ça suffit! Et puis! ... Parlons d'autre chose!, ordonna

---

[30] [("Correct" : est un mot anglais, à l'origine; c'est ce qui explique pourquoi il est entre guillemets, d'abord; ensuite, "correct", dans le sens d'«exact» ou de «bien», comme ici, ne devrait pas être toléré, en bon français; enfin, se servir de l'expression «langage correct», comme on le fait si souvent, est, à strictement parler, un anglicisme car on devrait parler (de langue) ou de langage «tenu» ou standard, en bon français moderne)].

sèchement Manon, à bout d'arguments mais toujours habitée par la même grande colère.

Marthe, arborant un petit sourire narquois, en coin, décida de lâcher prise sachant que, de toute manière, le message avait été passé, avec humour et tout en douceur, comme elle savait si bien le faire, à l'accoutumée.

Ainsi donc, Marthe ne voyait aucun autre problème surgir, à l'horizon. Tout était sous contrôle d'autant plus qu'elle savait, d'expérience, que les deux seuls sujets susceptibles d'être abordés par Manon étaient : «le point G» et «les cent une positions de l'amour.»

Ces deux thèmes, du moins Marthe le croyait à ce moment, résumaient, semblait-il, la totalité du répertoire de discussion de Manon et, du point de vue de Marthe en tous cas, s'avéraient peu dangereux à aborder, surtout que Manon, elle-même, les traitait avec désinvolture et humour, bien plus pour dérider les personnes présentes que par conviction profonde de leur importance.

C'est pourquoi, lorsque Manon prit la parole, Marthe avait la certitude que l'orage avait été évité, avec le départ de Candy et de Luc, -de Candy surtout- et que la partie relaxe du discours était à venir.

- Non, non! Aujourd'hui, je ne vais pas vous parler de ce à quoi vous pensez!, révéla Manon. Mon propos sera totalement différent puisque, ces derniers temps, j'ai fait des lectures se rapportant à cette question et je crois fermement être en mesure, présentement, de me porter à la défense de ce fameux orgueil que nos parents et nos grands-parents ont tellement décrié, de par le passé.

- De l'orgueil, dit Marthe, surprise. Qu'est-ce que ça vient faire ici, ça encore?

- J'ai eu une véritable révélation, renchérit Manon, avec enthousiasme. Après les recherches approfondies que j'ai effectuées, je suis sûre et certaine d'avoir tout compris par rapport à l'orgueil. Mes découvertes sont telles qu'il me semble qu'il est de mon devoir de vous faire partager les fruits de mes élucubrations, si vous n'avez pas d'objections, bien sûr!

- On ne peut guère inventer de nouveaux aspects à l'orgueil, il me semble, d'insinuer Marthe. Tout a été dit, dans le passé, à ce sujet! Non? D'après moi ...

- Justement, rien n'a été dit, réfuta Manon, parce que, depuis toujours, on nous a menti effrontément sur toute la ligne. Si j'étais à votre place, je serais tellement pressée de savoir!

- «Je peux poursuivre, les filles?», demanda Manon qui brûlait de l'envie d'en parler, sans vraiment attendre d'autre autorisation que celle indiquée par des mouvements de tête de haut en bas, en signe d'approbation.

Ainsi donc, à la surprise de tout le monde, car elle n'abordait pas ce genre de sujet d'habitude, Manon annonça, avec lenteur et avec un air plus officiel qu'à l'accoutumée, en appuyant délibérément sur chacun de ses mots :

«À l'opposé des idées acquises et de ce qu'on nous a enseigné auparavant, «notre vie toute entière repose et dépend d'une seule idée essentielle et de son corollaire; c'est que nous sommes plus «brillants» et «intelligents» qu'autrui et que, en conséquence, il faut, à tout prix et le plus tôt possible, dès sa prime enfance, même, se croire plus «fins» que les autres.»

Pourtant, durant ma jeunesse, souligna-t-elle, on me rabâchait continuellement trois énoncés qui, encore aujourd'hui, mais dans le contexte de l'époque surtout, s'équivalaient : «L'orgueil est un bien vilain péché» ou «Ne faites pas trop de compliments aux gens car ces éloges peuvent leur monter à la tête et la faire éclater d'orgueil» ou, enfin, «Ne multipliez pas les civilités car les gens risquent de s'enfler la tête d'orgueil.»

Eh bien! Moi, Manon, je vous dis, au contraire, que toutes ces affirmations étaient et sont toujours fausses et «archi-fausses». Mais, de surplus, je suis sûre que l'orgueil est une des seules forces innées qu'un être humain doit cultiver et conserver, toute sa vie durant.

De fait, la majeure partie du temps, explicita Manon, la force physique n'est pas nécessaire à l'être humain. Occasionnellement seulement, elle s'avère pratique pour trimballer quelques sacs d'épicerie ou pour tenter de libérer une voiture embourbée dans la neige, l'hiver, ou dans la boue, les autres saisons.

En effet, contrairement à ce qu'on nous a enseigné dans le passé, rectifia-t-elle, l'orgueil, lui, cette force dynamique et changeante, est indispensable, voire extrêmement nécessaire, tous les jours de notre vie ... Un des sept péchés capitaux? Voyons donc! Selon la tradition judéo-chrétienne ancienne? Peut-être! Un vilain et grave défaut? Non! Encore moins, à mon avis, défendit Manon! C'est plutôt une qualité à posséder absolument, dans la vie et pour la vie.

Voici un premier exemple, soumit-elle, pour conférer plus de poids à son argumentation. L'autre jour, je me trouvais dans une brasserie en train de «siroter» une bière. Les clients entraient et sortaient, après avoir échangé quelques oiseuses généralités.

Mais, à la longue, je m'aperçus qu'une personne sur deux traitait des problèmes du couple, tout en les déplorant. Plus encore, à entendre parler certains individus, «comme d'habitude», «rien» ne fonctionnait, «nulle part», «jamais» : on connaît la chanson, n'est-ce pas?, lança Manon, cherchant l'approbation de son auditoire restreint.

Au hasard des conversations, spécifia-elle, j'en ai retenu une, en particulier, qui m'a saisie et fait réfléchir, instantanément et ponctuellement, comme si on m'avait asséné un bref, mais violent, coup de fouet sur l'échine.

Un homme, dans la quarantaine, soumit Manon, racontait à un copain un peu plus jeune que lui, que son meilleur compagnon de travail s'était suicidé. Contre toute attente, il affirmait que celui-ci s'avérait un blagueur et un joueur de tours hors pair, un homme toujours de bonne humeur, un bon vivant, quoi!

À son copain qui lui demandait pourquoi, à son avis, il avait posé ce geste, le quadragénaire répondit qu'il l'ignorait, qu'il n'arrivait pas à se l'expliquer ... Pourtant, après une pause, il lui en apprit davantage, lors d'un sérieux dialogue en profondeur qui s'engagea entre les deux hommes.

- Ce sont toujours des gens débordant d'humour qui se suicident, commença le plus jeune.

- Peut-être pas toujours, répliqua l'homme de quarante ans, mais je dois convenir avec toi que cela se produit souvent, même si je n'arrive pas à comprendre pourquoi.

- Je me demande vraiment ce qui peut se passer dans la tête d'un gars pour qu'il en vienne à de telles extrémités.

- On aurait dit qu'il n'avait plus d'objectifs, qu'il avait perdu son orgueil, prétendit son interlocuteur, après un moment d'hésitation.

Chapitre 8

Cette dernière réplique du copain du quadragénaire, avoua Manon en poursuivant sur la même lancée, me fit réfléchir au plus haut point, tellement qu'elle devait m'inspirer, générer et modeler, chez moi et en moi, toute une série d'importantes réflexions sur l'orgueil, même si, n'étant ni travailleur social, ni psychiatre, ni sociologue, ni psychologue, ni aucun autre «logue» que vous auriez pu rencontrer, je ne dispose pas, comme eux, de mots savants pour exprimer à quel point cette phrase m'a impressionnée!

En effet, je peux et je dois me rendre à l'évidence : quelle richesse, quelle vérité contenue dans cette simple et courte affirmation d'un «philosophe de brasserie ou de "taverne"[31]!»

Sans exagération, amplifia Manon, cet homme venait de toucher du doigt la véritable problématique de l'humanité ou, plus précisément, des êtres humains. En réalité, nuança-t-elle, il n'y a

---

[31] "Taverne" : traduction littérale du mot anglais "tavern" qui désignait, à l'époque, les débits de boisson, pour hommes seulement.

que ces derniers qui soient vraiment vivants, à condition qu'ils soient orgueilleux. S'ils n'ont pas d'orgueil, ils ne sont pas humains, ne sont donc pas vraiment vivants et sont donc appelés à mourir, à plus ou moins brève échéance, du moins psychologiquement.

Un individu sans orgueil, enchaîna-t-elle, c'est comme un corps sans ossature. C'est un être qui déteste son image, un individu sans volonté, un lymphatique, une personne dominée, une loque humaine.

L'orgueil est une qualité positive, la cause d'une impulsion provoquant l'action et un excellent moteur ... bien plus que cela, se reprit-elle, le meilleur moteur, parce qu'il nous pousse à réaliser les plus grandes oeuvres de toute notre existence. L'orgueil, c'est encore ce qui nous amène à dépasser les autres et à penser surpasser autrui, à la condition de nous croire supérieurs à eux.

C'est tellement vrai que, le jour où nous ne nous penserons pas plus «brillants» que le reste de la population, appuya Manon en donnant l'impression de dramatiser, ce jour-là, nous serons «finis.» L'obligation nous incombe donc de puiser, chacun en dedans de nous, des raisons de nous estimer au plus haut point.

Ainsi donc, établit Manon, bien que je soie prête à admettre que, parfois ou momentanément, l'orgueil nous empêche, peut-être, d'être à l'écoute des dires ou des conseils d'autrui, il est sûr qu'on doive convenir de ceci : «si mal il y a», l'orgueil s'avère «un mal nécessaire».

Second exemple, annonça Manon. Il tend à prouver la véracité de mes avancés. Un jour, un ami de mon mari raconta que sa maison de campagne était passée au feu et qu'il y avait été brûlé, au second et au troisième degré, selon la durée d'exposition des diverses parties de son corps à l'élément destructeur.

Après l'affreux cauchemar, poursuivit-elle, il avait surpris tout le monde en indiquant que ce qu'il avait trouvé le plus pénible, outre l'angoissant et long processus de guérison et de réadaptation et l'obligation de raconter et de répéter la même affreuse histoire à tous, c'était de constater que, ses connaissances, ses amis et, tout autant, ses parents rapprochés, n'avaient même pas écouté attentivement son récit!

En conséquence, de l'expérience fâcheuse vécue par le sinistré, ils n'avaient tiré et ils ne tireraient aucune leçon pour le futur. En effet, en même temps qu'ils parlaient, les gens se disaient généralement, en jouissant presque en pensée, qu'un tel événement n'aurait jamais pu leur arriver, à eux.

Pourquoi? Parce que leur orgueil les poussait à prétendre qu'ils possédaient, eux, contrairement à la victime, les meilleurs âtres du quartier puisqu'ils en avaient surveillé l'érection, pierre après pierre, brique après brique.

Bref, l'orgueil aidant, ils pensaient qu'ils n'auraient jamais à affronter de telles épreuves car, à l'opposé du sinistré, ils avaient, quant à eux, gens exceptionnels entre tous, un sens inné de la prévention.

Du point de vue de ces mêmes personnes, cela n'arrivait qu'aux autres -sous-entendu, uniquement aux individus imprudents, pas à eux, bien sûr- et que, «jamais au grand jamais», ils ne vivraient un incendie senblable, tellement ils avaient, à titre d'êtres parfaitement prévoyants, intelligents et supérieurement réfléchis, tout pressenti, tout anticipé, tout soupesé, sans possibilité d'erreur préalable!

Le fait qu'ils se soient sentis à l'abri de telles catastrophes, à cause de leur intelligence présumée hors du commun, leur donnait une fausse impression de sécurité et leur procurait une intense joie intérieure et un sentiment de supériorité par rapport à l'inprudente victime sinistrée.

«Ça, pourriez-vous affirmer avec assurance, ça c'est de l'orgueil, et du vrai à part ça!» Mais, oui, c'en est! C'est peut-être, aussi, de l'amour-propre ou de la fierté. De toute façon, prétendit-elle, personne n'a jamais su faire clairement la différence entre les trois, alors!

D'après les dires de Manon, c'était un atout appréciable que de posséder cette fierté -qui, à toutes fins utiles, n'était qu'une facette de l'orgueil, lui-même- de penser que nous possédons des biens plus durables et plus sécuritaires que ceux de tous les autres, simplement parce qu'ils nous appartiennent, à nous, en propre.

À ce moment, prévint Manon, cela signifie que nous supposons que nos biens et propriétés frisent tellement la plus totale perfection qu'ils ne pourraient jamais menacer notre santé physique, à nous, les prétendus êtres exceptionnels, d'une espèce unique par leur infaillibilité.

Donc, de penser, chacun de notre côté, que nous nous sommes montrés plus judicieux qu'autrui, dans le choix initial de nos ouvriers experts et de nos matériaux hors pair, c'est, aussi, stipula-t-elle, une manifestation d'un orgueil souhaitable et nécessaire, en toutes occasions.

C'est encore l'orgueil qui nous aurait permis de construire, par exemple, une maison altière, unique en son genre parce que, supposément, elle aurait été plus superbement érigée et de forme plus typique que celles de toutes nos connaissances, parents et amis, devenus des rivaux, à cause de l'orgueil bien présent dans chacun de nous.

Évidemment, ce domicile serait, forcément et par surcroît, le plus solide entre tous parce qu'il aurait été plus savamment cimenté avec un amalgame de plus forte densité que celui exigé par les normes officielles régissant la construction. Du moins, supposa Manon, c'est ce que devrait croire chacun des propriétaires de maisons de ville ou de chalets.

Sachant cela, il n'est pas étonnant, constata-t-elle, que les gens qui avaient entendu le récit de l'accident n'aient pas profité, en termes de mise en garde, de l'expérience de l'ami de mon mari, propriétaire du bâtiment ayant été la proie des flammes!

Mais, pourquoi ont-ils, ainsi, fait la sourde oreille?, argua Manon. C'est parce que les parents et connaissances de l'ami de mon mari se sont contentés, par orgueil, de faire baisser le niveau très élevé de leur anxiété, à court terme, uniquement, sans se soucier du reste.

Sous prétexte qu'ils n'avaient pas, eux, les «précautionneux», lésiné quant à la qualité des matériaux et au chapitre des règles de sécurité en vigueur, ils n'ont pas pris la peine de revérifier, dans le détail, leurs propriétés.

Donc, grâce à leur orgueil rassurant, ils n'ont fait aucune modification ni amélioration. Ils n'ont pas agi parce que leur orgueil se portait garant de leur insécurité, les empêchant, du même coup, de croire en la nécessité de quelque changement que ce soit.

Une dangereuse sécurité illusoire et factice, prévint Manon, enfin. Peut-être! Mais, pas s'ils l'ignoraient et se sentaient à l'aise avec la solution de leur orgueil : en réalité, tout ce qui leur importait c'était de croire au pouvoir absolu et à l'omnipotence des dispositions prises, antérieurement.

Ainsi, comme ils refusaient de se remettre en question de quelque façon que ce soit, il ne leur restait plus qu'à démystifier l'événement, qu'à s'immuniser, voire qu'à se mithridatiser contre une mauvaise nouvelle toujours possible mais peu probable, convaincus, intérieurement, que de tels incidents ne se produisaient pas tous les jours.

Bref, les divers individus présents, lors de l'annonce du sinistre, ont continué à dormir, candidement, sur leurs deux oreilles. Les regrettables expériences du grand brûlé, leur apparaissaient comme d'autres banales informations quotidiennes qui s'ajoutaient à leur «bagage» culturel passé! Rien de plus!

En de pareilles circonstances, est-ce qu'ils auraient mieux réagi que l'ami de mon mari? Sincèrement, soutint Manon, je ne le crois pas, mais pas du tout! Au contraire, je crois qu'ils se seraient comportés exactement de la même façon!

Ils auraient, peut-être, fait pire encore, l'orgueil les ayant empêchés d'écouter et d'assimiler les conseils pertinents de la personne éprouvée. En effet, en n'écoutant pas, par orgueil, tous avaient exorcisé, presque annihilé[32] le problème, en pensant, au fond d'eux-mêmes, qu'il y avait eu négligence de la part de l'ami de mon conjoint. Pourquoi?

Parce que leur orgueil les empêchait de supposer, ne serait-ce qu'un instant, qu'une défectuosité du système de chauffage ou du système électrique aurait pu être, carrément, la cause de l'accident et non pas l'irresponsabilité de l'ami de mon ami.

Ainsi, je puis affirmer que l'orgueil est un filtre protecteur très efficace contre cette quantité industrielle d'informations qui parviennent, quotidiennement, à toute personne humaine.

Dieu sait si, en particulier de nos jours, même si l'on s'entend pour limiter nos recherches qu'à une infime partie des activités de l'humanité, connues, à ce jour, il appert que nous sommes littéralement inondés d'informations émanant de la multiplicité des découvertes et des perfectionnements techniques dont nous bénéficions.

Or, si l'orgueil n'en filtrait pas une certaine quantité, les êtres pensants que nous sommes seraient davantage portés à la dépression, au découragement et même au désespoir.

---

[32] «Annihilation» : signifie «réduction à rien, à néant», c'est-à-dire, à proprement parler, «mort» des cellules puisque, «nihil», en latin, a le sens de néant.

Prenons un exemple différent, énonça Manon. Le comportement de Brigitte, quarante ans, et de Paul-Henri, quarante et un ans, révèlent de sérieux problèmes de couple.

Ils n'ont plus l'impression de s'aimer autant, bien qu'ils demeurent terriblement attachés l'un à l'autre. Ils ont perdu leur bonne humeur, leur capacité de blaguer et de rire ensemble. Ils sont devenus trop sérieux : ils manquent de spontanéité; ils n'ont plus envie de sortir de la maison ni de vivre des expériences nouvelles. Bref, ils n'ont plus de buts communs.

Pourtant, les deux partenaires adorent leurs enfants qui agissent, en quelque sorte, à la façon d'un trait d'union entre eux, mais qui ne facilitent pas pour autant leur union.

En effet, quant à savoir si l'arrivée d'enfants a déjà contribué à tisser des liens indestructibles entre les parents, permettez-moi d'en douter, précisa Manon, en établissant que ce serait plutôt le contraire : les enfants sont souvent des causes de disputes, de désunion, à cause du stress qu'ils provoquent et des dissensions qu'ils suscitent autour des méthodes d'éducation divergeantes des époux, notamment. D'ailleurs, en voici l'illustration, de prétendre Manon, encouragée par l'attention soutenue des clientes de Marthe.

Brigitte et Paul-Henri possèdent un cercle d'amis où tous les partenaires sont très unis. Malgré leur intention latente de divorcer, ils se pensent affectivement plus fins, plus brillants qu'autrui et estiment, finalement, que leur union reste plus authentique et plus profonde que celle de leurs amis, qui ne divorcent pas, par orgueil, craignant les réactions et cédant aux pressions sociales du «ça ne se fait pas dans notre milieu.» Pourtant, Brigitte et Paul-Henri ne sont pas nés de la dernière pluie et ne semblent pas être, particulièrement, des filles ou des fils du dernier Concile.

Ainsi donc, c'est encore l'orgueil qui pousse les époux à continuer d'essayer de se conprendre et de s'apprécier ... du moins, à se tolérer, et ceci, de dispute en dispute, jusqu'à ce qu'ils en arrivent à une sorte de coexistence pacifique. À l'indifférence aussi, diraient certains, mais il ne faut pas parler de celle-ci, prétendit Manon, parce qu'elle est diamétralement opposée à l'orgueil.

En effet, quand un couple tombe dans l'indifférence, il cesse de se battre et de confronter ses idées à celles de l'autre. En quelque sorte, il perd son orgueil et se met, comme on dit, en langage populaire, «à vouloir tout avoir et coucher tout seul»[33].

D'autre part, l'individu indifférent c'est, aussi, celui qui se replie sur lui-même, certains événements antérieurs l'ayant fait douter de sa personne au point qu'il a cessé de se croire plus «fin»

---

[33] Tout obtenir, sans effort, sans sacrifice, quel qu'il soit.

que son partenaire. Mais c'est, tout autant, celui qui décide que, à défaut de l'être à deux, il sera heureux, seul, à sa façon.

Plus longtemps il se réfugiera dans cette position de vaincu, de dominé hanté par le doute, plus longtemps il lui faudra, pour recouvrer son orgueil perdu, cette raison dynamique d'exister, cette force et ce courage de vaincre et de transcender tous les commentaires désobligeants, toutes ces émotions négatives véhiculées par les gens et engendrées par les situations conflictuelles ou difficiles de la vie.

L'orgueil, d'après Manon, ne tolérait pas le doute ou, du moins, pas le doute qui dure et perdure pour devenir paralysant. Il ne permettait pas de croire que l'on se soit trompé, qu'on ait raté son coup, du moins pas totalement. Il aurait accepté, cependant, qu'on réajuste son tir, convaincu, au départ, que celui-ci ne se situait pas si loin de l'objectif ou de la cible visés.

Le pire enneni de l'orgueil, force dynamique qui nous pousse à l'action, aurait été «la remise en question continuelle» et maladive. Les bilans de vie exagérément fréquents étaient, selon Manon, des pertes de temps et d'énergie qu'il aurait fallu canaliser un peu mieux, à l'enseigne de l'orgueil.

Autre exemple, enchaîna Manon. Hélène, trente ans, une de mes collègues, se remettait en question tous les six mois, que dis-je, clarifia-t-elle, tous les mois, pour ne pas dire toutes les semaines. Elle tentait, prétendait-elle, «des expériences susceptibles d'explorer de nouvelles avenues commerciales.»

Elle ne savait probablement pas, elle-même, ce que cela voulait dire mais avait déjà entendu cette formulation à la télévision et elle avait décidé de la faire sienne parce qu'elle paraissait bien, tant à l'oral qu'à l'écrit.

Donc, chez elle, cela avait fait image et elle était partie en croisade avec ce leitmotiv en tête. Il n'aurait surtout pas fallu, de stipuler Manon, blâmer la pauvre Hélène d'avoir été incapable d'expliquer la signification d'une telle phrase. Personne ne l'avait vraiment su et personne ne la définirait probablement jamais avec précision, argua-t-elle.

De fait, poursuivit-elle, Hélène se remettait sans cesse en cause. Elle était tellement continuellement occupée à se remettre en question qu'elle ne faisait jamais quoi que ce soit de pratique. Hélène réalisait des expériences qu'on aurait pu qualifier de discontinues même si, au début, elle débordait de ferveur et de dynamisme.

Mais, à la moindre difficulté ou remarque d'un de ses collègues ou d'un des membres du personnel en général, elle renonçait immédiatement à son mode de fonctionnement, comme pour faire approuver sa prudence ou pardonner son doute. Elle mettait sur pied une nouvelle approche qu'elle abandonnait, à son tour, quelques jours plus tard et ainsi de suite.

Quand on lui demandait si elle avait l'impression de se valoriser à travers toutes ces expériences ou si elle avait la certitude d'en réussir quelques-unes, elle répondait toujours par la négative. Au contraire, elle affirmait qu'elle avait la certitude de n'avoir rien fait de valable, toute l'année durant, et c'est exactement ce qu'elle avait fait, ou plutôt, ce qu'elle n'avait pas fait, rectifia Manon, en cours d'exposé.

Elle en arrivait à un constat d'échec parce que toute son année fiscale n'avait été qu'une série de tentatives à peine amorcées, sans liens les unes par rapport aux autres, discontinues ou avortées : bref, des essais embryonnaires et non validés[34].

À la question à savoir ce qu'elle envisageait pour l'année suivante, elle répondait invariablement, qu'elle mettrait de l'avant de nouvelles formules mais, immanquablement aussi, elle sentait toujours la nécessité d'ajouter : «Mais j'ignore si elles vont réussir!»

---

[34] Pour valider une approche donnée, il faut au moins trois ans d'expérimentation de ladite méthode nouvelle ou moderne dite «active».

On pourrait penser, suggéra Manon, qu'Hélène manquait de diplomatie, qu'elle avait du mal à négocier et à composer avec le public.

C'était plutôt le contraire : ses lettres et ses publicités, confectionnées sous le coup d'un enthousiasme intuitif subit, étaient pourtant très bien présentées à la clientèle, dans des emballages si éblouissants, qu'elle vendait, du moins au commencement, sa «marchandise-concept», comme une véritable et extraordinaire spécialiste expérimentée en la matière, qui se serait adonnée à cette carrière, toute sa vie durant.

D'après mon amie, les clients d'Hélène emboitaient le pas, à cent pour cent, sans discuter, avec un empressement égal à celui de la conceptrice-rédactrice, en l'occurence Hélène, elle-même. D'autre part, Hélène s'avérait fort considérée par son patron car elle restait, disait-on, une personne «qui allait de l'avant» et qui ne craignait pas les nouvelles techniques et la nouvelle philosophie du "marketing" moderne.

Il faut dire que, à cette époque, tout le monde ne jurait que par ces méthodes «dynamiques» discutables mais «up to date»[35] et

---

[35] Méthodes très récentes et/ou à la mode du jour.

«actives»[36] -même si, encore une fois, prétendit Manon, jamais personne n'avait pu définir avec précision ce en quoi elles consistaient-. Le pire c'est que cette absence d'explication n'avait aucunement l'air d'inquiéter outre mesure ni Hélène -c'était normal parce qu'elle était totalement absorbée par ses innombrables expériences- ni même ses patrons -ce qui était dramatiquement inhabituel car ils auraient dû exiger, au préalable, toutes les précisions nécessaires, avant de donner, à l'aveuglette, leur approbation à ces projets- .

---

[36] Par «méthodes actives» on désigne, ici, toutes ces méthodes plus ou moins modernes et/ou récentes qui, à cause de «leurs approches nouvelles», ont été, dans le passé, globalement et faussement, qualifiées de «méthodes actives», alors qu'une méthode, en tant que telle, ne peut pas être active, par elle-même, puisque c'est l'approche de la méthode, seulement, qui prétend être active, d'une part; d'autre part, ce sont les gens qui l'ont choisie et qui l'utilisent qui deviennent actifs, en l'appliquant.

Par ailleurs, on peut penser que toute nouvelle méthode qui arrive dans le marché, cherche (sans toujours réussir) à être active automatiquement, par nature ou par définition : on imagine mal, en effet, que les inventeurs de nouvelles méthodes fassent exprès pour créer des méthodes qui s'avéreraient «passives» ou «non actives».

Chapitre 9

On ne pouvait pas blâmer Hélène d'être confuse car elle s'avérait être à l'image de beaucoup d'employés contemporains tentés par un «tape-à-l'oeil» masquant leur profonde insécurité, leur manque de compétence, ou les deux à la fois.

D'après l'avis de la majorité de ses collègues, Hélène changeait de méthode pour changer, par simple goût pour le changement. De l'art pour l'art, que ce stérile et continuel changement pour le changement, érigé en système, comme une soumission continuelle et totale à un dieu absolu et dominateur auquel il aurait fallu se vouer, voire se sacrifier, à tout prix.

De l'extérieur, révéla Manon, la plupart des travailleurs qui côtoyaient Hélène, étaient facilement enclins à conclure qu'elle était devenue l'esclave du changement. Il y avait du vrai dans cela, en ce sens que c'était une façon pour Hélène de s'étourdir tout en se valorisant, avec une foule de projets qu'elle ne mènerait jamais à bon port.

Même si elle en était inconsciente, elle préconisait, en effet, le changement à outrance pour maquiller, aussi, son inpuissance à prendre d'importantes décisions, pour une longue période de temps : cet attrait pour ce futile nouveau pour le nouveau, s'effectuait au détriment d'une expérimentation dans l'immédiat, dans un avenir toujours à venir, parce que toujours sur la mobilité d'un ensemble d'instants successifs et continus, responsables du mouvement.

Cependant, un fait demeurait, d'après Manon : Hélène était souvent félicitée et portée sur la main par le personnel de direction de la compagnie, à titre d'innovatrice. Mais, rien n'y faisait : compliments, honneurs, et caetera; Hélène était malheureuse à en pleurer.

D'ailleurs, elle se livrait à ce petit exercice lacrymal ou lacrymo-nasal assez souvent, surtout lorsqu'elle regagnait sa maison. Portée à s'apitoyer sur son sort, elle se répétait continuellement : «J'essaie, je travaille fort, je lis et je puise dans tous les nouveaux manuels, «j'épluche» tous les journaux, -les quotidiens autant que les hebdomadaires et les mensuels-, toutes les revues d'affaires, spécialisées ou scientifiques, et rien ne me réussit».

Un jour, dévoila Manon, je l'ai rencontrée alors qu'elle venait d'encaisser un nouvel échec. Elle me dit qu'elle gardait confiance et que, dès le lendemain, elle tenterait encore une autre expérience toute neuve. J'affirme, à la blague, qu'elle gagnerait plutôt à poursuivre la toute dernière de sa liste déjà longue. J'ai poussé l'impudence jusqu'à ajouter «qu'il devrait être illégal de douter de soi et de ses méthodes plus qu'une fois par deux ou trois mois.»

Elle parut consternée par mes remarques, me demandant des explications, et mit fin à notre entretien en disant qu'elle s'était peut-être trompée sur toute la ligne et que c'était moi qui avais probablement raison. Toutes les phrases d'Hélène étaient truffées de dubitatifs et de doutes successifs, persistants, permanents.

D'après Manon, son amie était tombée dans le relativisme. Elle semblait ne pas disposer d'un orgueil suffisamment fort pour lui permettre de mener à terme ses expériences.

Elle n'avait pas l'orgueil de s'obstiner, de persévérer, convaincue qu'elle ne possédait même pas une infime parcelle de la vérité qui, d'après son idée, se situait toujours à l'extérieur d'elle-même, dans quelque méthode ou livre qu'elle n'avait malheureusement pas encore eu la chance de consulter, mais qu'elle ne désespérait pas de trouver, dans un avenir qu'elle souhaitait rapproché, même si, simultanément, elle était portée à en douter, sérieusement!

À proprement parler, elle était en quête de la Vérité de toutes les vérités dans quelque bouquin rare qui existait certainement mais que, malencontreusement, elle n'avait pas découvert, à ce jour.

Ainsi donc, résuma Manon, le doute, ennemi juré de l'orgueil et sous-produit d'une impuissance présumée et d'un manque de confiance en soi caractérisé, aurait expliqué l'absence de fiabilité et la vulnérabilité des approches, méthodes ou techniques d'Hélène.

On aurait cru, supposa Manon, qu'elle était à la recherche d'une panacée, d'un remède littéraire, administratif ou juridique universel, situé à l'extérieur d'elle-même, presque magique.

Elle était convaincue que toutes les autres personnes, toutes les autres approches étaient plus «fines» et «intelligentes» qu'elle et sa méthode personnelle. Elle avait le sentiment qu'elle restait la seule à ne pas être à la hauteur, à ne pas être «fine», au milieu de toute cette panoplie de techniques savantes et imaginées par des personnes beaucoup plus «brillantes» qu'elle, évidemment.

Mais, en réalité, la vérité vraie c'était qu'elle manquait d'orgueil, de cet orgueil élémentaire et inné, susceptible de lui faire croire qu'elle possédait «une façon personnelle de procéder» qu'elle ne trouverait jamais dans aucune de ces méthodes, la meilleure approche étant Sa personnalité propre, Ses ressources, Ses possibilités, Ses attitudes et Ses aptitudes spécifiques à développer, sans compter sur quiconque ou sur quoi que ce soit, à l'extérieur de ses compétences personnelles.

«Tu vas loin», pourriez-vous affirmer, supposa Manon, en paraphrasant les dires révélateurs de son amie. «Peut-être, ou plutôt non! «Peut-être», n'est pas suffisamment précis. L'orgueil ne se contente pas de «peut-être», mais vise et se nourrit de certitudes qui s'imposent à l'esprit de l'être humain en évolution, au fil des ans et de l'expérience. En ce sens, certains ont déjà prétendu que l'orgueil cherchait la compétition, tendait même à embarrasser et à dénigrer les autres, à son profit.»

Balivernes que cela, établit Manon, avec vigueur, en prenant à son compte les dires de son amie. L'orgueil, dont il est question ici, cherche la compétition soit, mais une rivalité avec soi-même, pas contre les autres qui n'intéressent pas l'orgueil qui cherche à se réaliser lui-même, dans chacune des personnes prises individuellement et non pas les dessins et projets des autres, pris dans leur globalité.

Donc, l'orgueil dont il s'agit, ici, c'est celui qui permet à une personne d'être certaine qu'elle est quelqu'un de bien, avec une entité propre, consciente de son pouvoir de jouer un rôle valable, dans le présent comme dans le futur.

C'est encore ce qui fait que nous sommes conscients de notre propre valeur et que nous possédons, en nous, toute les énergies nécessaires pour aller au bout de toutes nos idées et possibilités. Le reste n'est que comparaisons stériles.

Ainsi, par exemple, si, d'aventure, votre premier voisin compare votre réussite -du moins ce qu'il estime être votre réussite- à celle de votre autre voisin immédiat, il est évident qu'il donne, tout au plus, son évaluation, à lui, qui n'est, de fait, que sa compréhension personnelle de la façon de vivre de vos voisins. Il ne fournit que son étroite opinion sur eux.

Or, si une opinion c'est un jugement qu'on émet avec crainte de se tromper, elle fait donc mauvais ménage avec l'orgueil qui ne se nourrit que de certitudes et qui, par conséquent, déteste les opinions truffées d'approximations.

Bien sûr, dans notre société de mondialisation des entreprises, la valeur d'un homme est souvent calculée en fonction de son salaire, de ses biens et possessions. En ce qui a trait à l'orgueil, il en est autrement.

En effet, s'il peut engendrer des biens, des possessions et des réalisations de projets qui ne sont que l'aboutissement concret d'une conviction qui permet à tel ou tel individu donné de croire qu'il peut réussir, par lui-même, et réaliser les projets qu'il s'est fixés, bons ou mauvais, sans l'intervention de quelqu'autre personne, groupe ou association que ce soit, l'orgueil ne vise que la réalisation des personnes, prises séparément, comme autant d'entités individuelles, et ne s'intéresse pas aux conséquences ni aux résultats des compétitions ayant existé entre ces mêmes personnes.

En bref, déclara Manon, l'orgueil ne vise que la réussite de l'individu, ses biens n'étant pas le but mais uniquement la conséquence de sa réussite.

«Bon, voilà ce à quoi je crois, forcièrement», conclut Manon, à la grande satisfaction de son public restreint et de Marthe, surtout, qui avait pensé intervenir, au moins vingt fois auparavant, sans succès. Le déplacement de Meridith, en direction du vestiaire, lui en fournit l'occasion rêvée. D'ailleurs, c'est elle qui, la première, prit la parole, après avoir sorti une lime à ongles de sa bourse.

- «Manon, tout ce que tu as énoncé, me semble extrêmement logique», constata Meredith, qui en profita pour rompre le silence, au moment même où elle passait devant la chaise de barbier où Manon avait tenu un long monologue.

- Tu y comprends quelque chose, toi, Meredith, ironisa Marthe. Dans ce cas ... permets-moi de penser que tu es diablement chanceuse!

- Pour être franche, avoua Meredith, je crois que je n'ai pas tout saisi, dans le détail. Mais, j'ai noté une certaine continuité dans l'argumentation présentée par Manon.

- Excuse-moi, ma chère Manon!, dit Marthe ... Mais, moi, je n'apprécie pas du tout les gens qui se «gargarisent» de mots, comme toi, aujourd'hui! Permets-moi de te notifier, en passant, que je ne te reconnais pas du tout, dans de tels propos! Ce n'est pas toi ça! ... Ce n'est pas ton genre, d'habitude ... des affirmations ... comme ça ... comment dirais-je ... hermétiques ... abstraites ... au plus haut point! En tous cas, je préfère être franche avec toi et te signaler que, pour ma part, les acrobaties intellectuelles, ce n'est pas mon fort!

- Je ne suis pas du tout d'accord avec toi, Marthe, de rectifier aussitôt Meredith, sans lui laisser le temps de s'expliquer! Il ne faut pas en douter une seule seconde, les propos de Manon et des autres personnes citées s'appuient sur une logique serrée ... extrêmement remarquable ... une rigueur de pensée déroutante mais évidente ... un enchaînement naturel des diverses opinions émises. Cela étant établi, je n'endosse pas, en totalité, tous les arguments invoqués.

- «Quelques bonnes idées éparses», prétendit Marthe, avec, cette fois, une relative agressivité. Rien que ...

- «Beaucoup plus que cela, tout de même», rectifia Meredith : «Le vrai problème dans tout cela, c'est que, à mon avis, Manon a toujours partiellement tort et toujours partiellement raison, à la fois et en même temps, car, à tous moments, elle a l'air parfaitement sincère!» ...

- «On peut être sincère dans l'erreur, non?», rétorqua Marthe, résolue à ne pas lancer la serviette aussi rapidement.

- Un point pour toi, consentit Meredith. Ce que tu viens de dire, Marthe, est très sensé ... tellement que je gagerais que cela serait susceptible d'inciter presque tout le monde, ici, à une longue réflexion silencieuse, à l'écart ... Ma foi, tu te mets à parler comme un grand livre ouvert! Ah! Ah! Ah! Je suppose que tu t'en rends compte, Marthe! Serait-ce que tu aurais saisi plus d'éléments que tu ne l'avais d'abord cru, toi-même?

- «Eh bien! Euh! Moi?», improvisa Marthe qui, depuis le début du discours de Manon, semblait dépassée par la tournure et la complexité du dernier sujet abordé. Néanmoins, soucieuse de se débarrasser de cette «patate chaude», elle reprit, en ces termes :

- «Tu le sais, Meredith, je n'ai pas un goût particulièrement prononcé pour les idées abstraites. Mais, un fait demeure certain : je ne vois pas le rapport entre ce genre de propos et les conversations qui devraient s'instaurer dans un salon de coiffure comme le mien! N'est-ce pas les filles?», risqua Marthe, sur un ton presque maternel et carrément implorateur.»

Son but inavoué, c'était d'inviter tout le monde à intervenir, à sa place, car elle sentait qu'elle manquerait de ressources pour tenir longtemps encore, à elle seule. Selon son habitude, dans ce type de situations insécurisantes, Marthe se tira d'affaire en se rabattant sur de vagues généralités.

- «Dans l'ensemble, j'ai trouvé cela intéressant» ...

- Intéressant! Bien plus que cela!, rectifia Meredith, se portant au secours de Manon. Et, presque offusquée personnellement, elle ajouta : «C'est du Nietzsche tout craché», cette théorie présentée par Manon concernant l'orgueil! Eh, oui! Rappelez-vous seulement le passage de son oeuvre où le philosophe allemand affichait sa fameuse conception d'un homme «avec une puissance illimitée à cause de la force de sa volonté omniprésente et omnipotente», résuma Meredith.

Pas plus que les autres personnes présentes, elle n'avait encore jamais eu l'occasion de «parler philosophie», dans quelque salon de coiffure que ce soit. Bien qu'inespérée dans un tel endroit, elle saisit donc la chance qui lui était offerte sur un plateau d'argent, d'autant plus qu'elle aurait pu s'enorgueillir, à raison, d'en connaître «un bon bout», dans cette discipline des sciences humaines ...

- Eh bien! Là, Meredith, tu vas trop loin!, rétorqua sèchement Marthe, en interrompant la philosophe en herbe. Si je comprends bien, tu t'apprêtes à encourager davantage Manon à poursuivre, dans le même sens!

Je pense qu'il est grand temps que quelqu'un remette les pendules à l'heure, par ici : en plus d'être un salon de santé-beauté, mon local ne se veut-il pas un havre de paix et de relaxation ainsi qu'un d'un lieu d'échange et de communication concernant des sujets brûlants d'actualité? ... Mais, de grâce, des sujets usuels! ... En tous cas, plus abordables et faciles que ceux proposés par la philosophie!

Après avoir cherché ses mots, un bon moment, Marthe renchérit.

- Moi, on ne me fera pas prendre des vessies pour des lanternes! Comme diraient d'aucuns : «C'est fini, les folies, non?» Il me semble qu'il se trouve des endroits plus appropriés pour aborder des sujets aussi ... inqualifiables ... «C'est ridicule ... Je n'ai jamais vu ça «depuis que pépère est mort!» ... Ah! Ah! Ah! Ce sont là, ni plus ni moins, que des sujets d'université! ... Vous comprenez?

N'obtenant pas de réponse, elle poursuivit.

- «Ici, dans ce sanctuaire de la beauté qui est le nôtre ... Ah! Ah! Ah! ... «S'il n'y a pas «erreur sur la personne», il me semble qu'il y a erreur sur le lieu!» Ah! Ah! Ah! Moi, en tous cas, je n'ai pas l'intention de» ...

- Je voulais, purement et simplement mentionner, de corriger calmement Meredith, que je retrouvais dans les propos et les exemples de Manon, le même principe de base et la même confiance exagérée dans ce présumé pouvoir infini de l'orgueil ... soit «la même assurance éperdue, qu'on retrouve chez Friedrich Nietzsche, dans les possibilités sans bornes de la volonté de l'homme qui doit prononcer sa personnalité au maximum, même si, pour cela, il doit en crever!» ...

Bon! Je n'ai pas l'intention de vous ennuyer davantage, à ce sujet!, enchaîna Meredith. Vous me connaissez ... je ne suis pas du genre à faire étalage ou ostentation de mes connaissances, plus que de raison ...

- Il ne s'agit pas de cela, de corriger Marthe, qui souhaitait désamorcer, au plus tôt, ce nouveau type de dialogue mal engagé, d'après elle, du moins ...

À dire vrai, Marthe ne voulait pas que l'on pousse davantage en ce sens, pour son bien et pour celui de la majorité de ses clientes qui, d'après ses estimations, ne comprenaient pas plus qu'elle, ce dont il était question et qui tenaient, avant tout, probablement, elles aussi, au maintien du climat de détente qui prévalait, habituellement, dans le salon de coiffure.

D'ailleurs, Marthe n'avait jamais eu pour but de favoriser particulièrement les érudits mais, plutôt, «M. ou Mme. Tout le monde.» D'après elle, les consommateurs voyaient son établissement comme un lieu de rencontre relax où l'on se devait de discuter, à partir de sujets «ordinaires», qu'elle se plaisait à qualifier faussement de sujets «normaux»!

Évidemment, comme de raison, c'était une question de vie ou de mort, pour Marthe. Comme toujours, en effet, Marthe était déterminée à faire des pieds et des mains pour enrayer ce nouveau fléau qu'étaient ces conversations éthérées et bizarres.

C'était plus fort qu'elle, elle se faisait de la bile car elle considérait ce nouveau phénomène comme un problème de plus, elle qui avait déjà amplement de difficultés à contenir la vulgarité de plusieurs clientes dont Candy qui, pour son plus grand bonheur, avait quitté les lieux depuis «belle lurette»[37]. Donc, elle ne put s'empêcher de laisser exhaler un dernier commentaire négatif, mais d'une façon presqu'inaudible.

- «Voilà que ça recommence, avec un autre problème, maintenant. Vraiment, ça ne s'améliore pas ... ça ne finira donc jamais», murmura Marthe, contrariée, parce qu'elle avait planifié de

---

[37] «Depuis belle lurette» : québécisme signifiant «depuis fort longtemps».

décompresser, enfin, après le départ de Candy et de Luc. Histoire de se défouler, elle se mit à broyer du noir, tout en bougonnant.

- «Décidément, la journée allait être longue». Ça allait mal à'shop»[38] : elle s'imaginait déjà dans l'obligation de préciser, une fois de plus, en mettant les points sur les «i», les règles du jeu quand Lisa, au plus grand soulagement de Marthe, un peu à la manière d'une salvatrice de romans-feuilletons, prit la parole, pour la première fois de la journée.

---

[38] [(«Ça va mal à'shop» pour «ça va mal à la "shop"» : phrase en «franglais» qui signifie, ici, dans le contexte : «rien ne va plus, nulle part», «toutes les activités sont paralysées», «rien ne fonctionne plus désormais», «rien ne va plus de part et d'autre» (ou d'un bout à l'autre) de l'entreprise (manufacture) ou rien ne va plus dans l'entreprise ou dans la manufacture au grand com-let; bref, «tout est inactif, partout, dans le secteur» ou, encore, «rien ne va plus», en général»)].

Chapitre 10

- Je suis totalement en désaccord avec tes affirmations, déclara Lisa, agacée par les propos de Manon, et cela, depuis un bon quinze minutes, au moins.

- Tu n'acquiesces pas à **laquelle** de toutes mes précisions, rétorqua sèchement Manon, choquée.

- Ma pauvre Manon, tu n'es pas pire que toutes ces personnes qui parlent beaucoup, dont on a du mal à saisir le message principal tellement on est noyé dans une foule d'informations secondaires, mais tu ne m'apparais guère mieux. En clair, je ne comprends pas plus ton message que ceux de tous ces autres individus très loquaces avec qui j'ai eu l'occasion d'échanger, durant ma vie.

- Tu n'es pas du tout claire, toi-même, apostropha Manon qui, à peine sortie d'un long discours dont elle avait fait les frais, redoutait d'être obligée d'en entamer tout de suite un second. Commence par être précise, avant de l'exiger de tes semblables!

- Ce que je veux dire, c'est que tu as discouru toute seule

tellement longtemps que nul, ici, n'est capable de discerner l'essentiel de tous tes propos! Même le message global que tu nous livres, n'est pas simple du tout, lui non plus!

- De dire que l'orgueil nous permet de nous croire plus intelligents que les autres, tu trouves ça compliqué, toi?, répliqua Manon, outrée.

- Ainsi résumé, c'est facile à comprendre, en effet, admit to de go Lisa. Si c'était là l'idée maîtresse de ce que tu signifiais, pourquoi as-tu gardé le crachoir[39] aussi longtemps pour rien?

- Holà! Tu as la critique facile, Lisa, d'après ce que je puis constater! ... Je te laisse t'exprimer librement, toi! Pourquoi n'en fais-tu pas autant, avec moi? J'ai le droit d'exposer mes arguments à mon gré! ... C'est quoi ça?, ... un boycott des opinions d'autrui, une nouveauté de dernière minute, une invention de ton cru ou une très récente règle de conduite improvisée par toi? Je suppose que je devrais te demander la permission à toutes les fois que je veux intervenir? Si c'est ça ta conception de la liberté de parole, ma fille, permets-moi de te souligner qu'elle laisse énormément à désirer! Tu peux toujours aller te rhabiller!

- Woo! Woo! Woo! Calme-toi! Ne prends pas le mors aux dents! Ne grimpe pas dans les rideaux! Woo! Woo! Respire

---

[39] Garder le crachoir : conserver longtemps la parole, ici.

profondément, quelques secondes! L'agressivité exacerbée n'a jamais rien engendré de particulièrement positif! .... Ne crois-tu pas, Manon?, finalisa Lisa.

- En somme, Lisa, tu me suggères d'être plus précise, plus **au fait**, plus directe, résuma Manon. Alors, je vais exaucer tes voeux ... Tant pis pour toi, tu l'auras voulu! ... Quand j'affirmais que l'orgueil était une qualité à développer à tout prix, toute sa vie durant, c'était trop complexe ça aussi, je suppose? ... Rien de trop abstrait là-dedans, il me semble!

- Holà, Manon! Pas si vite!, rétorqua Lisa ... Ne me fais pas dire ce que je n'ai jamais prétendu, insista-t-elle. Ton long monologue, même s'il comportait des éléments nébuleux et, par conséquent, abstraits ... Non! Non! Ne proteste pas! ... Tu as bien compris! Un **monologue**, un **monologue**! Il s'agit bien de cela! ... Malgré tes prétentions contraires, ton exposé n'avait rien d'un dialogue! Jamais en cent ans! Et je ne fais pas preuve d'étroitesse d'esprit, en énonçant cela! Prends le temps de réfléchir et tu en conviendra, suggéra-t-elle en reprenant son calme.

Plus en maîtrise d'elle-même, Lisa déclara encore :

- Écoute-moi bien, Manon : je vais te surprendre! ... Malgré ce que j'ai soutenu précédemment, je suis disposée à admettre que, **dans l'ensemble**, ton monologue m'a paru moyennement compréhensible! Ce que je lui reproche c'est sa longueur. Je t'accorde, aussi, qu'il y a une multitude de facettes à l'orgueil mais, je trouve que tu les as trop longuement développées. On ne sait vraiment plus sur quel pied danser! Tout ce que j'aimerais savoir, c'est où tu veux en venir, précisément?

- Aussi bien dire que tu n'as rien compris à rien, conclut Manon! Je peux répéter, tu sais, si tel est ton désir! ...

- Non, non, non, surtout pas!, implora Lisa. Ce fut assez lourd et onéreux comme ça, ... à entendre et à écouter, une première fois! Suffit! De grâce, non! Pas ça! Pitié, non! Ouf!, ajouta-t-elle sur un ton amusé mi-moqueur, mi-humoristique qui déclencha le rire, dans le salon de coiffure.

Après une pause, comme pour se faire pardonner, Lisa ajouta, avec un air sérieux mais doucereusement :

- Si tu es prête à t'ouvrir et à essayer de comprendre mon point de vue ... je te dirai tout simplement que, dans mon esprit, il y a une différence considérable entre «tendre à vouloir développer» sa volonté, son estime de soi, son "self-esteem", comme disent les anglais, et croire dur comme fer «qu'il n'y a que lui, conjugué en permanence avec l'orgueil, qui compte dans la vie» ... Tu comprends, cette fois, Manon?

- Tu ne vois pas qu'on dit la même chose! Alors, pourquoi tu m'obstines?

- Lisa, tu prends tout au pied de la lettre et tu me donnes l'impression de considérer cette conversation que nous avons, toutes les deux, plus comme «une opposition entre deux personnes», soit toi, Lisa, et moi, Manon, que comme «un dialogue de clarification» portant sur la notion d'orgueil, en tant que tel. N'oublie pas que si, «opposition» et «raison» riment ensemble, il y a un monde entre les deux.

- Je ne veux pas te faire de peine, Manon, mais, une fois de plus, je dois t'indiquer que je ne te suis pas du tout!

- Je vais te le dire autrement, de nuancer Manon. Que nous nous opposions, à titre de personnes différenciées, durant cette conversation, ça c'est un fait; quant à savoir qui, de nous deux, a raison avec ses réflexions, ça c'est «une autre paire de manches»[40].

Et Manon d'ajouter :

Tu me reproches «d'être longue», dans ma façon de définir l'orgueil, Lisa, et tu fais de même! À la fin, dis-moi clairement le fond de ta pensée, sans détours ni complications! En réalité, ce que je veux signifier, c'est qu'il ne suffit pas de prétendre que l'orgueil, comme le Dieu des croyants pour les chrétiens, «est par-

---

[40] «Une autre paire de manches» signifie, ici : une question tout à fait distincte de la première.»

tout», «sait tout» et «peut tout» pour l'homme, pour être, à coup sûr, dans le vrai, en soutenant cela, comme s'il s'agissait d'un «état de fait».

- Ah, non! Voilà qu'elle remet ça! Mon Dieu, c'est reparti de plus belle!, s'écria Marthe qui ne réussissait plus à contenir ses émotions et qui, cette fois, n'en pouvait plus et livrait tout haut, ses impressions. Y a-t-il un moyen d'en finir, à tout jamais, avec ces foutues abstractions! Qui, pour l'amour du ciel, pourrait tout clarifier? À l'aide ... Quelqu'un ou «quelqu'une»! De grâce! ...

- Je crois pouvoir résumer, d'énoncer Manon. D'abord, à mon avis, il y a une différence significative entre «affirmation» et «réalité», entre «rigueur de pensée» et «construction de la pensée» ou, en d'autres mots, entre «vérité vérifiable» dans la Vraie Vie Réelle et «imagination fertile» ou «fiction»; une différence énorme entre «pouvoir présumé infini» de la Volonté et «capacité ou pouvoir absolu» de cette même Volonté, dans la «Vie de tous les jours».

- Heh! Les filles! Est-ce que ... je vous le répète, et je vous en supplie, est-ce que, dis-je, il se trouverait quelqu'un qui pourrait jeter une lumière nouvelle sur la question ou, à défaut, accepterait de nous raconter une bonne histoire! J'sais pas, moi! ... N'importe quoi! ...

- C'est quoi ça, Marthe?, de fustiger Manon. J'espère que la conversation que nous avons présentement a plus de valeur, à tes yeux, que de banales histoires courantes, tout de même! ... J'ose croire que, dans ton esprit, il n'y a pas de dénominateur commun entre les narrations d'histoires profanes et les échanges verbaux qui ont cours entre moi et Lisa, actuellement. Tu ne peux pas ne pas être consciente de la différence!

- Bien sûr qu'il y a une différence! Mais, tu ne peux pas savoir à quel point je suis «tannée»[41] de vous entendre discuter de la sorte et de vous voir, encore et toujours, retomber dans les mêmes débats philosophiques oiseux. Assez, je n'en peux plus! N'importe quoi, sauf ça!

- "O.K", d'abord! «Tout le monde tout nu, trois minutes de cul!», de déclamer Lisa, dont l'intervention parut carrément hors d'ordre et totalement inadmissible. En tout cas, sa teneur déconcerta, figea et choqua, en un rien de temps, toutes les personnes présentes.

- Holà, les filles, un peu de décence, voyons! Pas nécessaire d'aller d'un extrême à l'autre et de tomber dans la trivialité!, de déplorer Marthe, décontenancée et éberluée d'entendre des paroles aussi crues, sortir de la bouche même de son bras droit, Lisa.

---

[41] «Tanné» : fatigué à l'extrême, ici.

- C'est mon frère qui dit toujours cela, dans les "party"[42] quand il veut dérider son auditoire ou changer le cours de certaines conversations pénibles.

- Je t'en prie, Lisa, laisse ton frère là où il est! De grâce, sois toi-même! Sois naturelle! ... Et puis, nous ne sommes pas en "party", ici! ... De toute façon, "party", «grande fête bien arrosée» ou pas, je trouve tes propos tellement primaires que ...

- Reviens-en, Marthe! Je disais ça comme ça, tout simplement! Tout le monde a saisi : toi, inclusivement! ... Je t'en prie, ne soutiens pas le contraire, je ne te croirais pas! Tout le monde a compris, dis-je, que je voulais faire diversion! "O.K", je m'excuse, si cela peut te faire plaisir. Cependant, j'estime que ce n'est pas la fin du monde! ... Ce ne sont que des mots, après tout! ...

- Lisa, je serais tentée de te répliquer, comme on dit souvent lors de conversations courantes, **«ne t'excuse pas, ne le fais**

---

[42] "Party" devrait normalement s'écrire "parties", au pluriel, en anglais mais, dans le langage parlé populaire français, il arrive qu'on emploie le singulier, même pour indiquer une idée plurielle, craignant que, avec l'emploi du pluriel "parties", l'interlocuteur ne saisisse pas autant qu'on veuille parler exactement de la même réalité, c'est-à-dire de «ce» ou de «ces» endroit(s) où l'on a «du gros fun» : en d'autres mots, en français, il y a une nuance qui fait qu'on a l'impression d'avoir moins de "fun" dans «des parties», au pluriel, que dans «des party», au singulier, même si l'on commet une faute de grammaire, en employant le singulier.

pas» tout simplement, fulmina Marthe, avec un ton de reproche dans la voix qui laissait à penser qu'elle souhaitait ardemment que cela ne se reproduise plus jamais, à l'avenir, du moins, pas dans son salon de coiffure.

- Ça suffit, Marthe, j'ai compris, je ne suis pas une enfant, merde! ... Bon, de grâce, passons là-dessus, et à tout jamais, j'espère! ... De toute manière, Marthe, nous sommes assez intimes, toutes les deux, pour que tu connaisses mes idées exactes, à ce sujet. Alors! ...

En effet, Lisa, elle aussi et à sa façon, avait été perçue par Marthe comme «un curieux spécimen de l'humanité», et ceci, dès leur première rencontre, alors que Marthe avait écouté et partagé ses confidences.

Pour tout dire, un peu à l'instar du célèbre empereur romain, César Auguste, Lisa considérait que la Vie, ce n'était qu'une grande Comédie, jouée par de plus ou moins bons Acteurs. Un point, c'était tout, pour elle.

En réalité, la lecture de la biographie de César Auguste avait influencé et conditionné toute la philosophie de vie de Lisa et, en particulier, cette fameuse phrase qu'il avait prononcé sur son lit de mort : **«Dorénavant, je n'aurai plus à feindre : je suis enfin parvenu au terme de cette totale, invraisemblable et inqualifiable Comédie qu'est la Vie.»**

Il était vrai, en effet, que Lisa considérait, elle aussi, les relations inter-personnelles comme autant de jeux ou de rôles drôles, tenus par des interprètes de comédie, variablement efficaces, dont elle faisait elle-même partie, et qu'on appelait, à l'aide d'une expression générique : les humains.

Comme ses rapports humains étaient toujours dominés par la gêne, Lisa croyait qu'ils ne pouvaient jamais être parfaitement authentiques. Quant à leur superficialité, Lisa n'en doutait pas un instant et, d'ailleurs, elle affirmait que tous les contacts entre les êtres humains, les siens autant que ceux des autres, étaient nécessairement superficiels parce que, obligatoirement dominés par la gêne et, conséquemment, par une sorte de déguisement ou encore par «une volonté de plaire et de paraître», soit toujours par «le jeu», sous toutes ses formes.

Alors, comme il s'agissait d'un jeu, Lisa avait décidé de le jouer, elle aussi, en espérant tirer le meilleur parti possible de la vie, en étant une excellente participante parmi tous ces autres joueurs faillibles par définition, c'est-à-dire ses semblables.

C'est pourquoi, elle disait à qui voulait l'entendre qu'il n'était pas aussi important qu'on aurait pu le croire, de soigner ses propos avec les autres. À la limite, on pouvait mal parler, jurer comme un charretier[43] et même dire carrément des «folies» dans ce monde de fous où personne, d'après ses constatations, ne prenait la vie au sérieux et n'avait de principes immuables ou de convictions profondes.

Pour elle, donc, rien n'importait sauf le jeu, même s'il n'était que très imparfaitement rendu, par un acteur inexpérimenté, par exemple. L'important, c'était «d'avoir du fun»[44], à tout prix, en toutes occasions propices et le plus souvent possible, puisque personne ne pouvait être sûr ni de l'authenticité ni de la véracité de ses propres agissements et propos, pas plus que de ceux du reste de l'humanité, d'ailleurs.

Aussi bien préciser qu'elle n'avait aucune espèce d'ambition. Elle vivait l'instant présent et le savourait au maximum. Elle ne voulait aucunement d'un autre poste, même qualifié par ses collègues de «supérieur», car elle craignait d'en payer le prix : peur de devoir sacrifier son intimité et sa liberté individuelle, en particulier.

---

[43] Parler, sacrer ou jurer comme un charretier : très mal parler, lancer des jurons et des sacres, très souvent et très grossièrement, comme le faisaient les utilisateurs de charrettes, d'où le mot charretier.

[44] "Fun" : plaisir, évidemment.

À son insu, elle partageait les mêmes idées concernant les promotions et, en général, la même philosophie de la vie que celle de Meursault, le héros du fameux roman, L'étranger, du non moins célèbre auteur existentialiste, Albert Camus : comme lui, elle ne désirait pas d'avancement car, à son avis, il constituait une menace à ses habitudes et à la seule façon de vivre qu'elle connaissait bien, la sienne, actuellement.

Pour survivre, il lui fallait, à elle comme à n'importe qui, un travail rémunéré. Soit! Elle en était consciente et acceptait cette situation de fait. Mais, elle en avait un et ça lui suffisait. D'ailleurs, celui-ci, ou n'importe quelle autre occupation, c'était du pareil au même et le moindre souci de Lisa. Les honneurs et la notoriété ne l'attiraient pas, surtout qu'elle était, par nature, fataliste. Néanmoins, à cause de ses expériences personnelles antérieures, Lisa croyait que, dans l'ensemble, la vie valait la peine d'être vécue, au fil des situations de vie successives et diverses que cette même vie lui apportait, **mais uniquement au «présent»**.

En effet, considérant l'absence de convictions religieuses de Lisa, elle était sûre à 100 % que, ce qui l'attendait, elle, après la mort, c'était, tout simplement un trou, deux mètres sous terre.

C'est pourquoi, mis à part l'obligation qu'il avait d'être rémunéré, Lisa n'accordait qu'une importance ordinaire à son travail : elle lui consacrait exactement le temps qu'il fallait pour l'accomplir; jamais moins, jamais plus, sauf pour dépanner Marthe et sa damnée comptabilité, une occupation qui la valorisait et fournissait à Lisa l'occasion de bavarder, calmement, seule à seule avec Marthe : les quelques sous qu'elle en retirait, à l'occasion, n'avaient aucune espèce d'importance pour Lisa.

La réalité était qu'il s'avérait capital de détenir un «boulot» dans la vie : il se trouvait justement qu'elle en avait un. C'était le principal, dans l'immédiat des divers présents successifs, mais celui-ci, en tant que tel, n'était pas important, pour Lisa.

En effet, pour elle, parmi toute la multitude des réalités instantanées offertes par la vie, nulle ne méritait le qualificatif «d'importante» sinon cette unique réalité importante à savoir **d'affirmer haut et fort et de publiciser à tous vents que «rien n'a d'importance sinon que d'affirmer que «rien n'a d'importance»**.

Donc, pour Lisa, la seule réalité importante était **«d'affirmer la non importance de toutes les réalités de la vie, sauf une : affirmer leur non importance»**.

Quant à la question à savoir pourquoi ce "job" plutôt qu'un autre, considéré comme plus tape-à-l'oeil par les personnes constituant la société où elle oeuvrait, elle ne se posait pas pour elle. Détenir une position sociale perçue comme «plus élevée», sur le plan hiérarchique, par les gens autour desquels elle gravitait, n'était pas non plus une préoccupation, dans l'esprit de Lisa.

Du «prince charmant» riche et noble qu'elle aurait pu rencontrer, elle ne retenait que le pouvoir pécuniaire qu'il aurait apporté avec lui, éventuellement. Cela ne s'était pas concrétisé? Alors, c'était du passé, c'était classé pour toujours et ce n'était, en soi, pas plus important que cela.

Lisa était heureuse de cette manière, n'ayant jamais imaginé la vie autrement; cette vie, elle la prenait comme elle venait, sans chercher à en modifier le cours.

En conséquence, le type d'emploi ne signifiait rien, pour elle, sinon un plus grand pouvoir d'achat résultant, normalement, en la possession de sommes d'argent plus importantes, voire considérables - l'expérience de la vie, et de sa vie, à elle, lui avait appris cela- détenues par des gens dont les familles étaient souvent riches, d'avance, de père en fils.

En réalité, Lisa, après avoir observé des filles de son entourage et fait l'expérience de l'argent, à travers celles de plusieurs amies de son âge, plus chanceuses qu'elle mais, presque tout le temps, beaucoup moins futées, aurait aimé, elle aussi, profiter de capitaux plus substantiels, suite à une alliance ou à un mariage favorable quelconque, à quelque riche industriel ou à n'importe quel grand de ce monde parce que, jamais, elle n'aurait consenti à faire les sacrifices nécessaires pour monter un empire ou pour amasser une première fortune, elle-même, avec des efforts continus, répétés et constants de sa part.

Les circonstances avaient voulu qu'elle se retrouve coiffeuse et administratrice improvisée du salon de coiffure de Marthe. Elle s'accommodait de ces deux fonctions, s'acquittant de ces tâches correctement, par bonne volonté ou bon vouloir de sa part, mais sans empressement.

Si elle faisait ce que ses collègues percevaient comme du zèle, ce n'était pas par goût personnel mais à cause de ses dispositions innées, qui la dispensaient de faire des efforts, ou encore à cause de ses talents naturels pour les sciences exactes, dans le domaine de la comptabilité, notamment.

De fait, Lisa voyait la vie comme une multitude de petites, moyennes, grandes, longues ou courtes distractions qui lui étaient offertes, par pur hasard, au fil des jours, **pas du tout** comme de petites, moyennes ou grandes distractions, se rattachant à un système de valeurs préalablement établi car, alors, les gens auraient pu croire qu'elle accordait plus d'importance aux grandes et moyennes qu'aux petites, alors qu'il n'en était rien.

Non, pour Lisa, la vie s'avérait une longue suite, ponctuée de gestes, d'actes, d'actions, d'événements ou de faits vécus, sans plus. Elle refusait d'octroyer des connotations affectives ou morales à sa vie ou à ses gestes. Elle n'avait jamais envisagé la nécessité de diviser la vie en deux catégories, comme c'était le cas de la presque totalité des individus avec qui elle en avait déjà parlé.

Pour ceux-ci, en effet, il y avait, d'une part, le bien et, d'autre part, le mal, soit la vraie vie et la vie factice ou superficielle. De son côté et selon son point de vue, il n'existait que La Vie, c'est-à-dire la sienne ou, en tous cas, celle qu'elle vivait dans un éternel présent, sans trop se poser de questions : somme toute, **une notion beaucoup plus simple, plus naturelle de «La Vie Tout Court»**.

En effet, cette «vie-happening-continuel»[45] ou cette «vie-événements successifs» était, **instinctivement, pour elle du moins**, la seule Vie possible.

Le côté pécuniaire excepté, pas question, pour Lisa, de se demander si cette vie semblait intéressante, désirable et souhaitable, ou si elle aurait pu l'être davantage, éventuellement.

Or, pour elle, qui disait éventuel disait futur, un futur qui n'intéressait pas Lisa, tellement elle vivait sa vie, au présent, la

---

[45] "Happening" : spectacle d'origine américaine, apparu dans les années 1950-1960, qui exige la participation active du public et cherche à provoquer une réaction artistique spontanée, d'après Le petit Larousse; ici, la «vie-happening» provoque, au fil des événements, des réactions spontanées de ceux qui la vivent, soit tous les humains.

seule vie qu'elle connaissait et imaginait, pour elle, inconsciemment, sans trop en connaître le pourquoi, tout simplement parce que c'était celle-là, la sienne, et pas une autre, que Lisa vivait, qu'elle faisait corps avec cette vie et qu'elle baignait même dedans, à travers différents présents successifs, sur la mobilité des divers instants présents.

Le reste n'était que de la «frime»[46] qui intéressait souvent ses semblables mais dont Lisa n'avait cure, personnellement[47].

Par ailleurs, Lisa adorait les situations conflictuelles, c'est-à-dire quand il y avait de l'action, du «sport», comme elle se plaisait à qualifier les débats -acharnés parfois- qui opposaient les belligérantes-coiffeuses aux antagonistes-clientes ou clients et vice versa.

Lui offrait-on d'autres fonctions, qu'elle n'acceptait que les tâches «naturellement faciles» pour elle. Les efforts pour réussir : elle détestait et prenait même la peine de stipuler qu'ils étaient **contre la nature et contre sa nature.**

---

[46] «N'était que de la frime» : «n'était qu'apparences, que fausseté, que tape-à-l'oeil»; «de la frime», signifie encore, «ce qui est destiné à éblouir, seulement».

[47] «N'avoir cure» : s'en foutre, s'en balancer ou être indifférent.

Ainsi, elle n'accordait pas à ses actes plus de valeur qu'ils n'en avaient : elle voyait ses agissements comme une foule de comportements qui ne présentaient, les uns par rapport aux autres, pas plus de valeur que chacun des barreaux d'une échelle couchée par terre.

En effet, si chacun des divers barreaux d'une échelle a, en position verticale, selon son emplacement sur les deux montants de l'échelle, une valeur différente, chacun des barreaux permettant à l'utilisateur de progresser dans l'espace et d'atteindre le toit d'une maison, par exemple, autant chacun de ces mêmes barreaux perd sa valeur originale de progression dans l'espace et, alors, acquiert exactement la même valeur que tous les autres barreaux qui l'accompagnent, quand l'échelle se trouve, à plat, sur le sol, sur un plan horizontal.

En effet, à ce moment, chacun des barreaux devient une simple pièce parmi une série d'autres pièces semblables ayant la même valeur et, l'objet qu'on appelait auparavant «échelle» perd son ancienne valeur ou sa définition d'échelle d'auparavant, puisque la série de pièces, rattachées aux deux montants, soit les mêmes barreaux précités, ne jouent plus leur rôle permettant à un utilisateur donné de progresser dans l'espace, sur un plan vertical, parce que ces barreaux, autant que les deux montants d'ailleurs, ne deviennent, au total, si on les additionne, qu'un seul et unique ensemble inerte, passif et inutile qui perd son sens, son rôle et, par conséquent sa valeur, quand il se retrouve sur le plancher des vaches.[48] Ainsi, tous les agissements, tous les gestes et toutes les actions de la vie de Lisa, croyait-elle, avaient, les uns par rapport aux autres, la seule et même valeur. Bref, pour elle, il n'y avait pas de gestes importants par rapport à d'autres qui l'auraient été beaucoup moins. À son avis, tout avait la même valeur, d'autant plus que, d'après elle, la vie n'était faite que d'une longue suite de **plaisirs et de déplaisirs.**

Dans son esprit, profiter de la vie c'était de vivre, à plein, chacun des «instants-plaisirs», fournis par la vie, sans se poser trop de questions quant à leur importance, quant à leur valeur comparativement aux autres.

Même si Lisa avait remarqué qu'elle éprouvait plus de joie avec certains plaisirs qu'avec d'autres, elle les savourait tous, à mesure, courts ou longs, tels quels, dans le présent, c'est-à-dire en même temps qu'ils se présentaient, sans se soucier de les rechercher car cela aurait demandé un effort qu'elle n'était pas prête à fournir.

Quant aux déplaisirs, elle ne les recherchait pas davantage mais se souvenait d'eux, naturellement, instinctivement même et

---

[48] Sur le «plancher des vaches» : ici, sur le sol mais, plus généralement, sur la planète Terre, toute entière.

sans effort aucun. Ainsi, elle n'avait jamais eu à affronter deux fois le même déplaisir.

En effet, à mesure qu'elle vivait des déplaisirs, dans divers «présents successifs», ils devenaient, après expérimentation, divers «présents passés», c'est-à-dire des présents qui appartenaient désormais au passé. Or, la notion de passé n'intéressait aucunement Lisa, pas plus que le concept de futur, d'ailleurs, tellement elle vivait, en accord avec sa nature et avec la nature, profondément ancrée dans un éternel présent.

* * * *

- Marthe, tu veux qu'on change de propos?, s'exclama Jennifer! ... Je crois, justement, avoir une bonne devinette à proposer à tout le monde mais, particulièrement à toi, Marthe, soumit Jennifer, qui surprit toutes les participantes car, à cause de sa classe et de son extrême prudence surtout, il était rarissime qu'elle favorise ou encourage de tels propos ou qu'elle s'abaisse à parler de sujets aussi futiles et profanes.

- Eh bien! Vas-y, vite! Qu'est-ce que tu attends? Ça va nous changer! ...

Chapitre 11

- Il s'agit d'une blague concernant les blondes, expliqua Jennifer, en donnant presque l'impression de vouloir s'excuser.

- Tu devrais t'adresser à Meredith plutôt qu'à moi : c'est elle la spécialiste dans le domaine. Ah! Ah! Ah!

- Je m'adresse à toi, Marthe, à titre de professionnelle de la coiffure, mais aussi, à Meredith, ou à toute personne pouvant trouver une réponse à cette question : «Comment une blonde s'y prend-elle pour augmenter son quotient intellectuel?»[49]

---

[49] [(Nom de l'auteur : anonyme), (Prénom de l'auteur : anonyme)], (Titre de l'écrit : Cinq cents nouvelles blagues sur les blondes), [(Lieu de l'édition : indéterminé), (Maison d'édition : anonyme)], (Date de l'édition : indéterminée), (Nombre de pages 128), [(Citation modifiée de la page 7 numéro (#)4, ici) (Citation modifiée : signifie que, seule, l'idée de base a été conservée par l'auteur de ce roman). (À l'avenir, pour abréger, quand la citation proviendra de ce même livre, ce sera indiqué à l'aide des abréviations «Ibid.» (pour «Ibidem» qui signifie : le même endroit) et à l'aide de «loc. cit.» (pour «loco citato», c'est-à-dire, «à l'endroit déjà cité») avec le numéro de page et le positionnement de la blague sur ladite page.)]

- Aucune idée, coupa Meredith, un peu mal à l'aise de ne pas connaître la «farce» et désirant ne rien laisser paraître.

- Je ne sais pas, non plus, de confesser Marthe. Et toi, Lisa? D'habitude tu retiens ça, toi, les blagues de ce genre!

- « À l'accoutumée, oui, mais, tout de suite comme ça, je ne vois pas, d'avouer Lisa, en même temps que plusieurs participantes qui renchérissaient, en laissant entendre une multitude de «moi non plus» simultanés engendrant une magistrale cacophonie criarde.

- Donnez-vous votre langue au chat?, anticipa Jennifer, le visage enjoué.

- Personne n'a l'air d'avoir d'idée précise, extrapola Marthe, en présumant que toutes les autres étaient du même avis qu'elle.

- Donne-nous donc la réponse, Jennifer : tu nous as déjà assez fait languir!

- Comment une blonde arrive-t-elle à augmenter son quotient intellectuel?, réitéra Jennifer, prétextant vouloir donner une dernière chance aux retardataires.

- Écoute, Jennifer, dis-la, lance-la ou crache-la, je m'en fous, mais dévoile cette foutue réponse, à la fin!

- La réponse c'est que la «blonde» se fait teindre les cheveux en «brun»!

- Elle est excellente, d'évaluer Marthe. Je comprends, maintenant, pourquoi tu affirmais que cette devinette me concernait, d'une certaine façon ... une facette de mon métier, du moins : les teintures! Ah! Ah! Ah! Bien bonne, en effet! Ah! Ah! Ah!

- Oh! J'en ai une autre, dans le même style, «à soumettre à votre attention», signifia Manon ... Cependant, il serait préférable que Candy soit ici mais ... En tous cas ...

- Que veux-tu dire, au juste. Tu sais que je n'aime pas les gens qui parlent en l'absence des autres, d'avertir Marthe, par précaution.

- Ce n'est pas ce que tu crois, clarifia Manon. Tu comprendras ce que j'ai en tête, après. Ce n'est pas bien méchant, tu vas voir! ... «Bon, vous êtes prêtes à subir le supplice de cette nouvelle interrogation?», vérifia Manon, s'adressant à tout l'auditoire, cette fois.

- Ben, oui! Nous sommes disposées à t'entendre depuis longtemps! Vas-y, enfin! N'attends pas de midi à quatorze heures, de conclure Marthe, impatiente.

- "O.K."! D'après vous, qu'est-ce qu'une blonde fait quand elle trouve un billet de dix ou de vingt dollars, par terre?[50] de risquer, enfin, Jennifer.

- Nous l'ignorons totalement, de déclamer, en choeur, une minorité du groupe de celles qui avaient accepté de jouer à ce nouveau jeu car, la grande majorité, de peur de se tromper, n'avait même pas répondu.

- Un petit effort, voyons! Faites travailler vos méninges, un peu, supplia Jennifer.

- Ça ne vous vient pas?, supposa Jennifer. Alors, écoutez bien, je répète le tout. Au départ, la colle[51], c'est : «Qu'est-ce qu'une blonde fait quand elle trouve un dix ou un vingt dollars, par terre?» Voyons! Voyons! Pas de solution? ... «La blonde se met à poil et commence à danser», statua Manon, après un moment, car personne n'osait répondre.

- Si j'ai bien compris, tu fais allusion aux effeuilleuses qui acceptent de danser nues, à proximité de leurs clients, à condition qu'ils déboursent une somme d'argent prédéterminée, débroussailla

---

50 Ibid. p.4, #2, citation modifiée : à l'avenir, citation modifiée sera indiquée par l'abréviation «mod.», tout simplement.

51 La «colle» signifie : attrape-nigaud, devinette, blague ou «gag».

Marthe, à mi-voix, presque pour elle-même, au fur et à mesure qu'elle découvrait la véritable signification de la blague et de tous ses sous-entendus.

- Elle est bonne, celle-là, aussi, de signifier Jennifer. Ah! Ah! Ah! ... Vraiment super! Je ne la connaissais pas! Formidable, en réalité! ...

- Maintenant, je vois le rapport avec les spectacles de Candy, confessa Marthe. Tu avais raison Jennifer : elle n'est pas très méchante! Aussi, c'est avec plus d'aisance encore que je te pardonne de nous l'avoir proposée, même en l'absence de Candy. Ah! Ah! Ah!

- À propos, parlant de quotient intellectuel et de matière grise, une histoire me revient, à moi aussi, d'annoncer Meredith. «Savez-vous pourquoi les blondes insistent tant pour visiter des prisons?»[52]

- Comme la plupart ici, je présume, je ne connais pas la solution à l'énigme mais ce que je sais, c'est que, tout à coup, on commence à avoir du "fun" en maudit, de s'exclamer Lisa, avec une vive conviction nourrie par l'atmosphère enjouée qui régnait déjà sur l'auditoire restreint.

---

[52] Loc. cit. p.6, #4, mod.

- Tout de suite, la réponse à propos des blondes et des prisons, de couper Meredith qui ne prisait guère les longs préambules. La réponse c'est : «Pour savoir, enfin, à quoi ça ressemble des cellules grises!» Ah! Ah! Ah! ...

- Écoutez plutôt celle-là, amplifia Manon qui se lançait carrément dans une sorte d'escalade verbale frisant la compétition entre les participantes. «Une femme de médecin, une femme de pharmacien et une blonde reviennent d'un voyage au Mexique où elles ont attrapé la tourista.»

- «Pas de problème», dit la première : «Comme mon mari est médecin, il m'a prescrit un traitement et ma diarrhée n'est plus qu'un mauvais souvenir.

- «Pas compliqué, moi non plus», affirma la seconde : «Mon mari, à titre de pharmacien, m'a donné un médicament et tout est rentré rapidement dans l'ordre».

- «Moi, mon mari est psychologue», précisa finalement la blonde. «Alors, je fais encore dans mes pantalons, mais **je l'accepte!**»[53]

À ces mots, tout le monde s'esclaffa. Chacune des clientes reconnaissait, parmi ses connaissances, le «psychologue-type»

---

[53] Ibid. p.59, #2, mod.

avec ses théories échevelées, toutes meilleures les unes que les autres, supposément : de fait, elles s'avéraient aussi louables qu'usées jusqu'à la corde.

Après de nombreuses années d'utilisation, en effet, ces théories étaient devenues des clichés trop connus du public, donc. Ainsi en était-il, par exemple, de celle portant sur l'acceptation de son «moi». Selon cette hypothèse, plus un individu en arrivait à comprendre son «moi» personnel, plus il en arrivait à s'aimer lui-même et, par conséquent, à s'accepter, à accepter les autres et à rendre facile son intégration et sa cohabitation avec ses semblables.

En effet, toutes ces suppositions stéréotypées étaient devenues la risée de tout le monde, y compris des personnes présentes dans le salon de coiffure de Marthe parce que trop vieillottes et «trop servies à toutes les sauces»[54].

- J'en ai une meilleure encore, soutint Lisa qui, pour sa part, voyait la conversation prendre l'allure d'un concours de personnalité qu'elle voulait remporter à tout prix. «Dites-moi donc, si vous en êtes capables, bien sûr, quelle est la différence entre une femme ordinaire et une femme blonde qui a épousé un riche hom-

---

[54] «Servies à toutes les sauces» : ici, proposées **comme solution** en de multiples occasions diverses et hétéroclites, comme une panacée.

me d'affaire?»[55] ... Et puis, non, je vous donne tout de suite la solution de l'énigme, surtout que je suis assez sûre que vous l'ignorez! Réponse officielle, donc : «La femme ordinaire a de vrais orgasmes et de faux bijoux!»

Des rires contenus et espacés, d'abord, finirent par surgir, à la grandeur du salon. Cependant, cela se fit à la façon d'un crescendo car certaines clientes n'étaient pas sûres d'avoir bien saisi toutes les astuces du "gag" car elles tardèrent à manifester leurs réactions, ouvertement. Leur orgueil leur dictait la prudence, dans leur interprétation, car elles ne voulaient pas avoir à rougir de leur réponse.

Plusieurs avaient même transposé l'histoire, intérieurement, uniquement pour elles-mêmes. D'autres murmuraient, en rapport avec cette même devinette, des raisonnements qu'elles auraient théoriquement souhaités inaudibles, parce qu'essentiellement personnels, mais que tout le monde pouvait partiellement entendre, en réalité, car ils étaient trop appuyés pour tomber dans l'oreille de sourds et rester confidentiels.

Chacune d'elles, ou presque, se disait, dans son for intérieur : «Donc, si j'ai bien compris, cela signifierait que «la femme blonde aurait de faux orgasmes et de vrais bijoux», avant de faire

---

[55] Loc. cit. p.5, #4, mod.

connaître, verbalement, leur appréciation objective de la blague proposée.

Quelques-unes, même, ne devaient comprendre l'astuce, que beaucoup plus tard, de retour à la maison par exemple, après y avoir réfléchi, à tête reposée, afin d'en saisir la portée exacte, d'abord, de la mémoriser pour pouvoir la raconter à d'autres, à leur tour, ensuite. Mais, la clameur qu'on entendait le plus, des quatre points cardinaux du salon de coiffure, c'était : «J'en ai une!», «J'en ai une, moi aussi!», «J'en ai une, écoutez ça les filles!»

De fait, les diverses interventions, dans tous les sens, engendraient un monumental et indescriptible "free for all"[56], car tout le monde voulait prendre la parole, en même temps. Marthe se sentit alors dans l'obligation d'harnacher et de canaliser le débat.

- Chacun son tour, les filles!, dit-elle. On n'entend plus rien et on risque d'en manquer des bonnes!

- «Quelle est la différence entre une prostituée, une nymphomane et une blonde»[57], s'époumonait déjà Lisa qui voulait qu'on l'entende, en parlant plus fort que les autres, sans respect

---

[56] "Free for all" : non respect du droit de parole surtout, ici, mais pourrait signifier aussi cacophonie, désordre verbal, anarchie.

[57] Loc. cit., p.12, # 4, mod.

pour quelque ordre de priorité que ce soit. Elle répéta cette phrase-marotte jusqu'à ce que sa voix forte émerge et l'emporte, autant sur les conversations en cours que sur les divers bruits ambiants.

- La différence entre quoi et quoi, déjà?, s'enquit Marthe qui avait déjà oublié une partie de la devinette.

- «Une prostituée, une nymphomane et une blonde», récapitula Lisa.

Comme personne n'osait se compromettre, Marthe voulut récupérer la situation et intervint encore :

- «Elle n'est pas facile celle-là, non plus!» «Donne la réponse car je serais fort étonnée qu'on la trouve!»

- Après avoir fait l'amour, la prostituée, toujours pressée, -le temps étant de l'argent!- dit : «T'as pas encore fini?» ... Pour sa part, après un orgasme rapide, à demi simulé, la nymphomane, jamais satisfaite, vérifie : «T'as déjà fini?» La blonde, de son côté, déclare, contre toute attente : «Voilà ce qui est arrivé : nous faisions l'amour dans la position du missionnaire et un homme s'activait, sur moi et en moi, comme un diable dans l'eau bénite. En attendant qu'il finisse par aboutir, je regardais, en haut, la portion du plafond vert, située juste vis-à-vis mes yeux grands ouverts et je me suis mise à penser qu'on devrait, le plus tôt possible, le repeindre en bleu car, vraiment, le vert ne convenait pas, à cet endroit.»

- Je ne vois pas du tout le rapport, dit Marthe, qui s'inquiétait, en fronçant les sourcils.

- Marthe, affirma Lisa, en plaisantant, t'es-tu déjà imaginée un instant que, le seul rapport, c'est, peut-être, qu'il n'y en a pas de rapport ou, à tout le moins, que c'est la blonde, elle-même, «qui n'a pas rapport»[58], en accordant plus d'importance à la couleur du plafond qu'à l'acte sexuel, auquel elle est en train de participer?

En réalité, plusieurs clientes, qui n'avaient pas encore saisi, se réfugiaient sous des sourires plaqués et artificiels, «riaient jaune»[59] et espéraient qu'un événement nouveau se produise pour les tirer de l'impasse. C'est exactement ce qui arriva, lorsque Manon déclara :

- J'en ai une imbattable!

---

[58] «Qui n'a pas rapport» : expression régionale qui signifie «être hors d'ordre», «être à côté de la voie ou de la plaque», c'est-à-dire d'être carrément dans l'erreur, à côté de la vérité généralement admise par tout le monde, à côté du sens commun ou du bon sens.

[59] «Rire jaune» : rire sans conviction, rire pour sauver les apparences ou encore rire niais, tout court.

- «Vas-y!», d'approuver en choeur les personnes dont les voix arrivaient à s'imposer malgré la cacophonie tonitruante et le climat de lourdeur qui, à la longue, pesait sur le salon de Marthe.

- «Qu'ont en commun les seins d'une blonde et un train électrique?[60], de relancer Manon.

- Ah! Je l'ai déjà entendue celle-là, mais je ne m'en souviens plus!, d'avouer Lisa. Je n'ai pas la mémoire des histoires ni des noms! Je n'ai que la mémoire des visages!

En entendant ces mots, la figure de Marthe se crispa de mécontentement. Dans son esprit, elle se répétait : «Ah, non! Pas encore cette éternelle rengaine!

D'aussi loin que Marthe se souvenait, toutes les personnes qu'elle avait rencontrées, depuis des années, déclaraient, presque invariablement, ne pas avoir cette facilité à mémoriser les histoires, **pour se faire pardonner, plus aisément, leur manque de mémoire flagrant et généralisé pour tout, mais, plus particulièrement, pour les histoires courantes.**

En réalité, elles désiraient, tout simplement, de pas afficher publiquement, pour ne pas dire camoufler, ce qu'elles considé-

---

[60] Loc. cit., p.38, #1.

raient comme une lacune ou un manque détestable, nuisant à leur popularité, dans les diverses réunions sociales et familiales.

Quant à la mémoire des noms et des visages, c'était un peu plus partagé : soixante pour cent, pour celle des visages et quarante pour cent pour celle des noms. Marthe, avec sa longue expérience d'écoute des clients et clientes, en avait déduit que, tous, auraient vivement souhaité posséder, et la mémoire des histoires, et la mémoire des noms, et la mémoire des visages, mais que presque personne, sinon personne, ne s'était jamais vanté de posséder, en même temps, ces trois atouts.

Néanmoins, les clientes prétendaient souvent que, quand elles étaient jeunes, elles bénéficiaient des trois mais que, en vieillissant, elles avaient perdu un ou plusieurs de ces types de mémoire.

Il en était de même en ce qui avait trait à la mémoire des histoires : toutes, sauf exception rare, affirmaient avoir compté beaucoup d'histoires, à leur répertoire, durant leur jeunesse, histoires que, soutenaient-elles du moins, elles savaient par coeur, autrefois, alors que, aujourd'hui, elles avaient beaucoup de mal, et à se rappeler plusieurs histoires à la fois, et à les retenir durant une longue période de temps.

À ce sujet, Marthe détenait sa propre théorie personnelle. C'était que ses clientes, en vieillissant, confondaient leurs désirs avec la réalité et que celles, qui avaient toujours raconté une grande quantité d'histoires dans le passé, restaient les mêmes et les meilleures raconteuses d'histoires et que, celles qui n'avaient jamais manifesté d'intérêt pour les histoires, quelles qu'elles furent, ou qui n'en avaient jamais raconté beaucoup, demeuraient toujours aussi «plates»[61] à entendre raconter qu'antérieurement, que ce soit dans un passé récent ou plus lointain.

De fait, Marthe croyait, dur comme fer, que toutes ces affirmations des gens concernant les types de mémoire, qu'ils pensaient posséder ou pas, n'étaient que des prétentions de personnes soucieuses de sauvegarder leur image de «gens le fun», plaisants à côtoyer et à entendre, alors que celles qu'on avait évaluées comme étant le "fun", auparavant, restaient des personnes le "fun", toute leur vie, et que les «plates» du passé, demeuraient tout aussi «plates», au présent, et le resteraient, très probablement aussi, dans le futur.

Pourquoi «s'en faire accroire»[62] comme ça, s'était toujours répétée Marthe. La vérité c'est que «tu l'as ou tu n'l'as pas» l'aptitude de retenir et le don de raconter des histoires, autant que l'aisan-

---

[61] En vrai français, on devrait dire «plat» mais, ici plates signifie : monotones à entendre raconter, ennuyeuses.

[62] S'en faire accroire : se duper soi-même, se mentir à soi-même.

ce à mémoriser noms et visages, d'ailleurs. Marthe en avait conclu que c'était là un besoin, chez tout être humain, d'être considéré et apprécié par les autres et que, une façon privilégiée de l'être, c'était «en étant drôle», pour ne parler que de ce moyen.

Une façon d'augmenter sa popularité auprès d'autrui? Sans aucun doute! Une manière de satisfaire son besoin inné d'aimer et d'être aimé pour mieux s'aimer, soi-même, et apprécier davantage autrui, soit la bonne et vieille règle générale de psychologie qui s'appliquait, ici encore.

Bref, l'évidence, selon Marthe, c'était que, seulement de trois à dix pour cent des êtres humains étaient drôles de nature et que, tous les autres, presque tout le temps, ne faisaient que rire, à titre de simple public, à partir des blagues faites par leurs semblables. D'être drôle apparaissait donc comme un bien ou un don désiré et désirable pour tous et susceptible, en plus, de faciliter leurs relations avec le reste de la société mais que ce n'était pas l'apanage de tous les mortels.

Une cliente avait déjà révélé à Marthe que, à partir de l'âge de quarante ans, l'homme perdait l'usage de quatre cent mille neurones, par année, jusqu'à la fin de ses jours. Néanmoins, Marthe qui entendait dire par ses clientes qu'elles perdaient toute forme de mémoire en vieillissant, ne prenaient pas en compte ces réalités biologiques et statistiques car, en général, elles les ignoraient sûrement.

Ce qui se produisait, probablement, c'est qu'elles ne réalisaient pas, sinon confusément ou instinctivement, que leur capacité d'absorption d'histoires, de noms, de visages, bref, de n'importe quelle notion ou élément d'information, diminuait au fil des ans, à cause de ce phénomène de perte ou d'annihilation progressive mais continue de neurones, à partir d'un âge constaté.

Marthe croyait, de plus, que les centres d'intérêt des personnes changeaient avec les années et que l'attrait, pour les histoires, était plus grand, chez les jeunes que chez leurs aînés, à cause de la nécessité d'être populaire et de se faire accepter par un groupe, par exemple.

L'opinion des autres, en effet, semblait plus importante à cet âge qu'au leur, «cet âge dit respectable» qui les justifiait de penser, du moins aimaient-elles le croire, qu'elles n'avaient plus rien à prouver, désormais. Par contre, d'après Marthe, le fait de se mettre en évidence, en étant drôles et blagueurs, aidait les jeunes à se valoriser auprès de tous, sans considération pour les diverses catégories d'âge.

Chapitre 12

- Bon! Personne d'assez brave pour risquer une réponse!, reprit Manon pour relancer le débat. "Chicken", "chicken"! Ah! Ah! Ah![63]. Qu'advient-il de la «blonde» et du «train électrique», à présent? ... Allons, un petit effort, voyons! «Qu'ont en commun les seins d'une blonde et un train électrique?, répéta fortement Marthe, en faisant un grand effort de concentration, au milieu de tout ce remue-ménage.

- Je gage que c'est que la blonde a des courbes et que le train électrique suit un parcours sinueux, lui aussi, supposa Lisa.

- Non, dit Manon. La réponse c'est que «les deux sont faits pour les enfants mais ce sont les pères qui jouent le plus avec!»

- Ah! Ah! Ah! Celle-là est formidable, de reconnaître Lisa. Ça me fait penser ... Les filles, en voici une autre! Aussi

---

[63] "Chicken": signifie, ici, peureux, pusillanime, froussard.

bien en profiter pendant qu'il n'y a pas de jeunes enfants ou d'adolescents dans le salon, de renchérir Lisa. L'histoire, reprit-elle, se présente comme suit : «Une blonde et un homme se retrouvent tout nus dans un lit. J'aimerais que tu me fasses l'amour oral, dit l'homme à la blonde.» «D'accord, de répondre la blonde. «De quoi veux-tu que l'on parle?»[64]

- En voulez-vous une qui n'est pas piquée des vers, non plus?, d'amplifier Manon, habitée par la fièvre d'une compétition présumée qui, tout à coup, lui donnait des ailes.

****

C'est étrange cette manie qu'ont les gens de renchérir encore et encore, suite à l'audition d'une histoire, d'une devinette ou d'un rébus. Pourtant, tous et chacun ne peuvent résister à la tentation.

C'est pourquoi, presque toujours, ils ressentent le besoin de se justifier auprès de leurs interlocuteurs en déclarant, par exemple : «Ce n'est pas pour vous relancer, mais je pense que j'en ai une bien meilleure encore.» Évidemment, c'est aussi une habile façon de prévenir les remarques désobligeantes et de se disculper, d'avance, auprès de leur auditoire. Finalement, ce qui est pire, c'est que ces individus, raconteurs d'histoires, sont presque tous

---

[64] Ibid., p.79, # 2.

conscients, à des degrés divers, de tomber, ce faisant, dans la surenchère.

Quant à ceux qui ne s'impliquent pas, d'aucune manière, dans les histoires et qui ne proposent jamais quelque devinette que ce soit, ils font preuve d'un manque d'intérêt flagrant pour celles-là et pour les jeux de mots en général. Malgré une telle lacune, la société en général ne leur en tient pas rigueur.

La preuve c'est que ce manque est plutôt jugé par la société comme étant acceptable, excusable et compréhensible : tous ne peuvent pas faire preuve de la même ouverture d'esprit ou détenir, en tout temps et en toutes circonstances, toutes les qualités qu'on pourrait idéalement retrouver, dans une sorte d'être humain parfait, résultat d'une projection de la perfection, faite par l'ensemble des femmes et des hommes ordinaires, à partir de toutes ces qualités qui leur manquent et qu'ils souhaiteraient posséder, idéalement.

Par contre, chez la majorité de ceux qui ne racontent jamais d'histoires, tout en désirant être populaires auprès de leurs groupes d'amis, il semble qu'ils soient victimes d'une sorte de paresse caractérisée, qui consiste à se laisser raconter de belles histoires par les autres, sans avoir à participer de quelque façon que ce soit, sinon en riant.

Cependant, bien que tous aient envie d'entendre les récits d'autrui, -tout le monde, au moins une fois au cours de sa vie, aime s'abandonner et écouter les narrations des autres- assez rares, en réalité, sont ceux qui sont prêts à faire l'effort pour en mémoriser une grande quantité et les retenir plusieurs années ou durant une longue période de leur vie.

De fait, dans la majorité des cas, en disant qu'ils n'ont pas la mémoire des histoires, ces mêmes individus, ne font que camoufler leur manque de volonté caractérisé, sous le couvert d'un regrettable manque de mémoire.

Donc, ils se réfugient dans leurs pertes de mémoire pour ne pas avouer ouvertement, que les efforts de mémorisation, «ce n'est pas leur tasse de thé»[65] alors qu'ils se refusent à les fournir, par manque de courage, tout simplement.

Bref, si tout le monde aime être populaire et, par conséquent, si tous trouvent intéressants les gens qui font des blagues, la majorité des individus ne sont pas prêts à utiliser les mêmes moyens ni à faire les mêmes sacrifices pour devenir populaires, eux aussi.

---

[65] «Ce n'est pas leur tasse de thé» signifie, ici : ça ne les concerne pas, ça ne les intéresse pas ou ce n'est pas leur fort, leur spécialité.

Enfin, comme le fait de ne pas connaître d'histoires par coeur ou de ne pas s'adonner à des jeux de mots, n'est pas, en soi, mal vu ou sanctionné par une cote négative du public, -c'est même relativement facilement accepté, socialement- ils parviennent toujours à s'en tirer très honorablement dans les salons et dans les réunions familiales, sociales ou professionnelles.

****

- Vas-y donc, tout de suite, Manon!, interrompit subrepticement Jennifer qui avait hâte de connaître la réponse finale et qui souhaitait, par son intervention, relancer la conversation, au plus vite. «N'attends pas une réponse de notre part», ajouta-t-elle en cherchant à rattraper le cours de ses pensées ... «De toute façon, en matière d'histoires, de devinettes et de jeux de mots, nous savons, presque d'avance, que notre réponse ne sera pas celle recherchée! Alors, à quoi bon?»

- «Une blonde entre à la maison, après un examen complet, chez un omnipraticien. Son mari lui demande ce que le «docteur» a dit concernant son état de santé général. La blonde répond : «Il m'a dit que j'avais des seins semblables à ceux d'une jeune fille de dix-huit ans.»

- «C'est bien, constate le mari! Mais, à propos, qu'est-ce qu'il a mentionné au sujet de ta vessie dilatée, ce phénomène aussi répandu chez l'humain que chez le cochon?»

- «Ah, mon amour!, nous n'avons pas du tout parlé de toi!», de préciser la blonde, du tac au tac[66].

- Vraiment, là, les filles, un peu de retenue, s'il vous plaît, un peu de classe, d'exiger Marthe, sur un ton autoritaire. D'accord, je me suis peut-être mise les pieds dans les plats, lorsque, plus tôt, je vous ai demandé de raconter des histoires ordinaires et courantes, mais je n'ai jamais réclamé de tomber carrément dans la vulgarité.

- Ouais! Un peu de considération, mesdames, d'amplifier Jennifer, avec un petit air taquin. Incidemment, j'en ai une autre : tout ce qu'il y a de plus régulier, ajouta Jennifer.

- De régulier et de propre, en même temps, j'espère, de commenter Marthe tout en posant clairement la question et en évitant, du moins l'espérait-elle, de perdre le contrôle et de la discussion et de la situation.

- Tout ce qu'il y a de plus convenable, d'affirmer fermement Jennifer, pour sécuriser Marthe. Alors, voici : «Une blonde et son mari, plutôt riche, cherchent d'autres moyens de réaliser des économies».

---

[66] Loc. cit., p. 124, #2, mod.

- «Si tu apprenais à faire la cuisine, supposa son conjoint, nous pourrions épargner encore plus!»

- «Et toi, de rétorquer la blonde d'un même souffle, si tu apprenais à faire l'amour, nous pourrions renvoyer les domestiques mâles!»[67]

- Bon, enfin! Ce n'est pas trop tôt! Ça, c'est le genre de "joke"[68] que j'apprécie au plus haut point! En passant, une histoire me vient à l'esprit, à moi aussi, révéla Marthe. «Savez-vous ce qu'une blonde fait pour éviter d'avoir d'autres contraventions, sur sa voiture?» ... Et puis non, je vous donne la réponse : je ne suis pas une raconteuse d'histoires, d'aucune façon! La réponse, c'est qu'elle enlève ses essuie-glaces, sur son auto!

- Une autre, les filles, d'enchaîner Jennifer, qui s'émoustillait à vue d'oeil? «Quelle est la différence entre une blonde et un 747?[69] ... «Pas de réponse, je vous la donne en mille : «Malgré le nombre grandissant de ces appareils, c'est pas tout le monde qui peut se vanter d'être déjà rentré dans un 747!»

---

67 Loc., cit., p.124, # 3, mod.

68 "Joke" : farce, en anglais.

69 Loc. cit., p.27, # 3, mod.

- Vraiment Jennifer, tu ne t'améliores pas, de blâmer Marthe. Il me semble que ta condition de femme devrait te dicter de ne pas raconter de telles blagues ni à propos des blondes ni au sujet des femmes, en général.

- C'est rien qu'une histoire, Marthe! ... Voyons! Tu ne dois pas te formaliser pour ça!, suggéra Jennifer à Marthe, offusquée, à son tour. C'est juste pour le "fun"!

- Pour le "fun", pour le "fun", ça commence comme ça, et pis toi, et les autres de ton espèce, contribuez à répandre et à perpétuer des vieux préjugés détestables.

- Marthe, tu es trop sérieuse, c'est ça ton problème, de conclure Jennifer.

- "O.K.", d'abord, j'en ai une d'un tout autre genre : «Comment meurt une cellule grise dans le cerveau d'une blonde?»[70] ... Inutile de tergiverser ... tout de suite, la réponse : «En solitaire.»

- Bon, c'est mieux, cette fois, évalua sommairement Marthe car la voix de Lisa, encore considérablement plus forte que celle de tout le monde, enterrait déjà et semblablement la sienne, alors qu'elle prononçait, elle aussi, la très usée mais inévitable phrase-marotte de : «J'en ai encore une meilleure.»

---

[70] Loc. cit., p. 16, # 4, mod.

- «Pourquoi la NASA prévoit-elle envoyer une blonde dans la station spatiale internationale?»[71] «Parce que, sauf erreur, elle est et sera toujours moins lourde qu'un lave-vaisselle», révéla Lisa, sur-le-champ, bien qu'à regret, car elle doutait de plus en plus de l'efficacité et de l'originalité de sa devinette, à mesure que les farces concernant les blondes se succédaient et se multipliaient. Elle n'avait pas le choix : c'était probablement sa dernière chance de la «placer dans la conversation» puisque, sentait-elle confusément, le thème avait déjà été trop exploité.

- Voilà que ça recommence!, de couper Marthe, découragée. Si j'ai bonne mémoire, il me semble que, il y a quelque temps, je vous ai exposé ma préférence pour les devinettes usuelles, les filles! ... Passer d'une blague osée à un "gag" sexiste, je ne vois pas d'amélioration, là-dedans!

- N'exagère pas Marthe, dit Lisa, ne sommes-nous pas entre adultes consentants, ici? Pas d'enfants ni de jeunes hommes, présentement! Alors, c'est quoi le problème ou, plutôt, ton problème?

- Lisa, tu sais pertinemment que je ne suis pas du genre à me scandaliser facilement : tu me connais assez pour ça, énonça Marthe, en faisant de visibles efforts pour garder son sang froid et

---

[71] Loc. cit., p.42, # 6, mod.

demeurer, en apparence du moins, en contrôle d'elle-même, dans cette position précaire. «Seulement, ajouta-t-elle, il me semble que, parler pour parler, aussi bien discuter de choses sensées, non? Finalement, l'impression qui se dégage de vos propos concernant les blondes, c'est que ces femmes, selon la tradition de ces vielles et banales histoires rabâchées à leur sujet du moins, sont assez niaises et conventionnelles. Alors, pourquoi ne pas faire des blagues ... je ne sais pas, moi! ... concernant les hommes, tiens? Pourquoi pas? ...

- Justement, j'en ai une qui les concerne, de dévoiler Jennifer qui, subitement, refaisait surface. «La scène se situe au paradis terrestre, en présence d' Ève et d'Adam»

- Dieu, pourquoi as-tu fait Ève aussi belle, blonde et désirable?, de demander Adam.

- Pour que tu puisses la compléter, voyons!, répond Dieu.

- Alors, pourquoi l'as-tu faite aussi stupide?, d'ajouter Adam.

- Pour qu'elle puisse t'aimer, mon enfant!, de conclure Dieu, en s'adressant à Adam[72].

---

[72] Loc. cit., p.79-80, #4.

- Elle est délicieuse celle-là, de constater Marthe. Vous voyez qu'il est possible d'en trouver des intéressantes.

- Les filles, en désirez-vous une autre, dans la même veine?, questionna Jennifer qui, contre toute attente, se laissait prendre par ces jeux futiles, en s'impliquant de plus en plus activement dans les échanges.

- Donc, voilà!, reprit aussitôt Jennifer : «Une jeune fille blonde informe son père et lui dévoile qu'elle est tombée enceinte.»

- Dieu du ciel, où avais-tu la tête?, demanda le père, scandalisé.

- «Sur le tableau de bord de l'auto!», de signifier la blonde.» Ah! Ah! Ah![73]

- Enfin, une, que j'apprécie dans sa totalité, avec tous ses sous-entendus, de souligner Marthe, enthousiaste, à nouveau ... Elle laisse à penser que les blondes, loin d'être bêtes à manger du foin, peuvent faire preuve d'intelligence et laisser transparaître un certain sens de l'humour, comme lorsqu'elles ne veulent pas répondre à certaines questions embarrassantes, par exemple. D'ailleurs, je me demande d'où provient cette mauvaise habitude qui

---

[73] Loc. cit., p. 92, #3.

consiste à formuler toute cette panoplie de farces mettant en vedette des blondes? Pourquoi elles et pas les autres? C'est la mode, me direz-vous?, mais «mode» n'est pas synonyme «d'obligation de se conformer», il me semble. Jusqu'à quel point doit-on se plier aux exigences, aux canons de cette sacro-sainte mode omnipotente? Je me le demande très sérieusement, conclut Marthe.

- D'accord, une mode c'est rien de plus qu'une mode : ça passe, comme tout le reste, de constater Lisa, pour mettre un point final aux inquiétudes de Marthe. «Il y a quelques instants, Marthe, ne désirais-tu pas qu'on parle des hommes?», rappela-t-elle, remettant, ipso facto, la question sur le tapis.

- Des hommes ou d'autres sujets courants et acceptables, stipula Marthe. Tu sais, moi, je ne suis pas très exigeante! ...

- Ah! Ça, c'est vrai!, de couper Jessica! Les hommes : un sujet très ordinaire, en effet, tu as parfaitement raison, Marthe! Pire que ça, encore! ... un thème, mais alors là ... une préoccupation ... tout ce qu'il y a de plus courant! «Franchement, toi et les autres, vous avez du temps à perdre», reprit Jessica, avec un rictus de ressentiment. «Les hommes, bof! Ils n'en valent vraiment pas la peine», conclut-elle.

Chapitre 13

La conversation engagée entre toutes les participantes depuis le début mais, plus récemment et plus particulièrement, entre Jennifer, Marthe et Lisa, fournissait à Jessica la première véritable occasion de manifester ouvertement ses impressions personnelles profondes.

D'ailleurs, cette intervention inopinée de Jessica surprit tout le monde car, habituellement, sauf quand elle répondait succinctement par des «oui» ou par des «non» évasifs mais polis aux questions qu'on lui posait, elle ne disait mot, dans le salon de Marthe.

À l'accoutumée, de fait, elle s'installait, dans son coin, avec son tricot. En attendant patiemment son tour, elle confectionnait des pièces, de dimensions étonnantes parfois, en prêtant attention aux conversations de toutes les autres clientes.

Celles-ci avaient déduit, sans le savoir vraiment que, comme la plupart des gens, elle avait probablement besoin de rencontrer régulièrement les personnes du salon car elle y venait et revenait, semaine après semaine, sans en passer une, depuis tellement d'années que, de mémoire, on aurait été tenté de dire, depuis toujours.

Cette routine semblait être la seule sortie sociale de Jessica. On ne l'apercevait presque jamais dehors, sinon pour faire son marché hebdomadaire ou lorsqu'elle se déplaçait vers le dépanneur du coin pour aller acheter quelques denrées indispensables.

Les seuls détails qu'on connaissait au sujet de la façon de vivre de Jessica, provenaient des observations, souvent banales, des gens de la rue. Ainsi, on l'avait aperçue, occasionnellement, déambulant avec des croissants et des pains-baguettes dépassant de son panier de victuailles nécessaires à sa vie de tous les jours, sans plus. Pour la plupart des gens, Jessica s'avérait un mystère complet, une sorte de coffre-fort verrouillé à double tours dont, elle seule, possédait la clef, jusqu'à ce jour, à tout le moins.

- Les hommes, un sujet acceptable? ... Plus ou moins, à mon avis! Banal? Quelconque, tu veux dire, amplifia Lisa avec le sentiment de se porter au secours de Jessica qui, à l'évidence, avait fini de parler pour longtemps, ne désirant pas aller plus avant dans la conversation, maintenant qu'elle avait déversé tout son fiel à propos de la gent masculine et, le tout, en quelques mots clefs, seulement.

- Il ne faut, tout de même, pas être trop sévères à l'endroit de nos compléments, ces pauvres petites bêtes qui ne demandent qu'à être aimées et appréciées, renforça Marthe avec humour, croyant que, si un débat méritait d'être relancé, c'était bien celui-là.

- Ce qui est dit, est dit!, coupa Jessica qui se foutait complètement de passer pour une personne trop catégorique, devant tout le monde.

- Surtout que ce n'est même pas leur faute, d'annoncer Lisa.

- Comment ça, pas leur faute?, reprit Marthe. Tu vas loin, là, Lisa : ce que tu viens de dire laisse à penser que les hommes ne sont pas assez intelligents pour nous fréquenter et nous comprendre, un peu comme dans l'histoire racontée précédemment.

- Tu ne saisis pas du tout, clarifia Lisa en interpellant Marthe. Moi, je vois le problème d'un tout autre point de vue ...

- J'ai peut-être mal écouté et manqué une ou plusieurs informations capitales, d'avouer Marthe. Si c'est le cas, je m'en excuse. Le va et vient continuel, ici, dans le salon de coiffure et le fait que je m'adonne toujours à deux ou trois besognes à la fois, est probablement responsable de ce manque d'attention. Pourtant, il me semble que ...

- Ça n'a rien à voir!, coupa Lisa en s'adressant à Marthe. As-tu entendu parler de l'enquête récente portant sur la maturité sexuelle des femmes et des hommes.

- Une autre enquête non scientifique pour nourrir l'appétit des petits journaux jaunes à scandales ou pour divertir la populace, je suppose, de deviser Marthe.

- Je trouve que tu y vas fort avec ce vocable de «populace» pour désigner ces êtres humains souvent désavantagés intellectuellement et culturellement parlant. En plus d'avoir un connotation péjorative certaine, il s'agit là d'une appellation offensante que je n'oserais jamais employer, moi, nuança Lisa, dans le but d'adoucir les propos de Marthe.

- Permets-moi de me reprendre et d'apporter d'autres éléments de clarification! "O.K.", tu as raison, concéda Marthe. Ce que je voulais dire c'est que je ne crois pas aux classes sociales et que, de ce fait, je n'ai rien contre quelque personne que ce soit dans la société. Je veux parler de divertissements pour ces intellectuels bourgeois et blasés qui se repaissent de tous ces ragots véhiculés dans les médias d'information et par un peu tout le monde relativement aux scandales ciblant autant les artistes populaires, les autres personnes publiques, que les femmes ou les hommes du peuple, en général. Bon! Ceci étant clarifié, Lisa, pourrais-tu revenir à cette fameuse enquête dont je n'ai jamais entendu parler, sauf par toi, je l'avoue, malgré mes constants efforts pour me tenir à la fine pointe de l'actualité, confessa Marthe, comme pour se disculper face à sa carence en nouvelles fraîches.

- D'accord, affirma Lisa. L'enquête, à laquelle je faisais allusion tout à l'heure, révèle qu'il n'est pas du tout surprenant qu'il y ait autant de divorces car «la maturité sexuelle de l'homme est à son plus haut niveau à l'âge de dix-sept ans alors que celle de la femme se constate à l'âge trente ans, seulement.»

- Si je comprends bien, dit Marthe, en faisant un effort considérable pour déduire et synthétiser, cela voudrait dire que, au départ, biologiquement parlant, la plupart sinon la totalité des femmes et des hommes seraient incompatibles sexuellement, à moins qu'ils respectent les paramètres de ces deux nouveaux groupes d'âge révélés par l'enquête, puisque, semble-t-il, ils sont tributaires, strictement et exclusivement, du sexe auquel ils appartiennent.

- Excellent!, de s'exclamer Lisa, illuminée. Il ne nous reste plus qu'à nous dégoter de petits jeunes mâles «boutonneux»[74], en pleine puberté.

---

[74] «Boutonneux» : dont le visage est couvert d'acné juvénile ou de boutons (protubérances) rouges, verts ou violacés.

- Encore s'agit-il de savoir si nous en voudrions de ces jeunots! Ça reste à voir, annonça Jennifer qui s'immisçait à nouveau dans la conversation, tranchant, une fois de plus, avec ses bonnes vieilles habitudes d'abstention.

- Ça t'intéresse de parler de ça, toi, Jennifer? ... Permets-moi de te notifier ma grande surprise, proposa Marthe en guise d'explication.

- À vrai dire, c'est moins le sujet qui éveille mon intérêt que les enquêtes, en général. J'adore les enquêtes, toutes les enquêtes, car elles sont souvent le moteur d'une prise de conscience individuelle et collective. Elles provoquent les événements et des événements et, par voie de conséquence, des changements dans les habitudes, les comportements et les mentalités des gens ...

- Incidemment, de préciser Lisa, en interrompant subtilement Marthe, l'enquête indique, aussi, que les hommes n'ont pas le tour avec les femmes.

- Mais, ma pauvre Lisa, s'écria Jennifer, si j'ai bien compris la teneur de l'enquête dont tu nous as parlé, ils ne peuvent pas l'avoir!

- Exactement, étaya Lisa, contente de constater que, au moins une personne présente, avait saisi le sens, voire la quintessence de ses propos, comme les aurait qualifiés François Rabelais, au XVIe siècle ...

- Quoi qu'il en soit, Lisa, qu'est-ce que l'enquête en question t'a appris encore!, de demander Jennifer avec insistance, plus préoccupée par la savante enquête que par les doctes dires apparemment empruntés de Lisa.

- Alors, la tradition qui veut que l'homme épouse une femme ayant le même âge que lui, ou étant de **un** à **cinq** ans plus jeune, ne respecte aucunement les proportions dix-sept, trente!

- Attends! Je ne comprends pas bien, là, énonça Jennifer, en interrompant Lisa.

- Sauf erreur, poursuivit Lisa pour le bénéfice de Jennifer, d'après ce que j'ai lu, et je crois l'avoir bien fait ma foi, il semble que, même encore aujourd'hui, au XXI ^{e} siècle, la majorité des gens pensent que c'est plus "cute"[75] de se marier ou de s'unir pour la vie, avec ou sans contrat officiel, quand, de fait, la fille est plus jeune, d'un à cinq ans, par rapport au gars, et pas le contraire : autrement dit, ce n'est pas du tout "in"[76] pour une fille d'être

---

[75] "Cute", ici : plus beau, plus intéressant, plus conforme à ce qui se fait en bonne société; mieux vu ou mieux considéré par les gens, en général.

[76] "In" : à la mode, bien vu, ici.

l'aînée du garçon, même d'une seule petite année; quant à plus de cinq ans ou davantage encore, on n'en parle même pas car c'est "out"[77], «comme ça s'peut pas.» «Ça ne fait pas beau», prétendent encore beaucoup de contemporains du deuxième millénaire au même titre que les gens supposément rétrogrades d'autrefois, qui s'accordaient, aussi, sur ce point.

- C'est bien intéressant tout cela. Cependant, pourquoi ne pas nous parler davantage de l'enquête qui te tient tant à coeur, Lisa, de suggérer Jennifer. Relativement à la femme de trente ans et à l'homme de dix-sept ans, je crois bien que, à présent, c'est très clair, pour tout le monde. Mais, quant à la maturité sexuelle, je me demande encore qu'est-ce que, plus précisément, on entend par ça? Je crois que tu n'as pas eu le temps de tout nous dévoiler, tout à l'heure.

- Ça revient à parler du pouvoir sexuel des femmes et des hommes, de résumer Lisa. Ainsi, l'adolescent de dix-sept ans est tellement fort, sexuellement parlant, que les filles ou les femmes qui ont des rapports sexuels avec lui, se plaignent en disant qu'ils sont «des p'tits vites», c'est-à-dire des éjaculateurs précoces, au moment où les représentantes de la gent féminine, de leur côté, ne sont pas autant pressées d'en finir avec l'acte sexuel ou conjugal et où elles n'éprouvent pas une telle intensité dans leurs pulsions.

---

[77] "Out" : démodé, pas faisable, à contre-courant ou mal vu.

Une vigueur qu'elles ne rattrapent qu'à trente ans, seulement, alors que l'homme a déjà perdu un peu de ses capacités, à chaque année, depuis l'âge de dix-sept ans.

- Finalement, tout le monde est frustré tout le temps, de déduire Marthe.

- C'est que de dix-sept à trente ans, expliqua Lisa, l'homme devrait s'entraîner à la retenue et à la maîtrise de ses pulsions alors que la femme, à peu près du même âge, devrait s'habituer à réagir plus fortement aux stimuli sexuels de son partenaire masculin.

- Je reprends mon idée, donc, d'annoncer Jennifer : si j'ai bien saisi, le gars est insatisfait de dix-sept à trente ans et le reste de sa vie alors qu'il n'est plus capable de suffire à la tâche alors que la fille, à moins d'être âgée de trente ans et plus, est insatisfaite de dix-sept à trente ans et le reste de sa vie, aussi, car son pouvoir sexuel s'accroît alors que celui de son partenaire mâle baisse de plus en plus, de jour en jour! Est-ce que c'est comme ça qu'on doit résumer les faits, concernant la qualité des rapports sexuels, À VIE, entre la femme et l'homme?

- Il y a un peu de cela, convint Lisa. J'irais même jusqu'à dire «que la vie est mal faite».

- Entièrement d'accord avec toi, Lisa, de renforcer Jennifer, que les femmes du salon de coiffure ne reconnaissaient plus à cause de ses incursions sporadiques mais de plus en plus fréquentes dans tous les types de conversations.

- Vous savez, quand je dis que la vie est mal faite, il n'y a pas que le décalage d'âge à propos duquel je m'interroge, suite à l'enquête mais il y a aussi des faits ou des situations auxquels nous sommes peut-être habitués, mais qui demeurent et resteront toujours inacceptables, édicta Lisa.

- Comme quoi, par exemple?, s'enquit Marthe, qui, cette fois, ne craignait pas d'afficher ouvertement sa grande curiosité.

- Comme le fait que les femmes, à tout âge, peuvent avoir de multiples orgasmes alors que leurs partenaires mâles doivent attendre un minimum de quinze minutes entre chacun d'eux, vous savez, ce fameux quinze minutes de repos obligatoire où l'homme est réfractaire à toute relation maximale, cet intervalle de temps qui, comble du malheur, on le sait, s'accentue avec l'âge.

- Tu veux dire que ce n'est pas juste, ça non plus, de reformuler Marthe, en plaisantant.

- Injuste et cause de disputes, voire de divorces, d'amplifier Lisa, qui avait l'air de se trouver sur une bonne lancée oratoire ... Autrement dit, quand on regarde ça de près, la fille et le gars du même âge, par le seul fait qu'ils sont, par leur nature même, femme ou homme, ne sont et ne seront jamais sur la même longueur d'ondes. Pire encore : les femmes et les hommes seraient, en naissant, incompatibles, toute leur vie durant.

- Tu n'exagères pas un peu, là, Lisa, de corriger, Jennifer.

- Ce n'est pas mon intention. Cependant, tenant compte de ces faits, il n'est pas trop surprenant de constater que, justement, il y ait autant de séparations, etc, etc.

- J'ai la solution!, coupa Marthe qui cherchait plus à s'amuser qu'à discuter sérieusement. Les gars et les filles devraient «se pratiquer», du début de leur puberté jusqu'à trente ans et, une fois parvenus à cet âge, les hommes s'appliqueraient, pour être certains d'être à la hauteur, à retenir leurs stimulations alors que les femmes attiseraient les leurs.

- Ou vice versa, de préciser Jennifer. La femme pourrait chercher à développer, par tous les moyens naturels et artificiels qui se trouvent à sa disposition, ses réactions aux stimuli sexuels de l'homme jusqu'à trente ans et les réfréner, jusqu'à la fin de son existence alors que l'homme n'aurait qu'à «s'asseoir dessus»[78] ou

---

[78] «S'asseoir dessus» signifie, ici, se contrôler, faire des efforts pour penser à autre chose ou pour se contrôler, à défaut de pouvoir penser à autre chose.

qu'à «mettre de la glace dessus»[79]. C'est vrai, c'est toujours à la femme de faire des sacrifices! ...

- Je pense qu'il serait préférable de ne pas entamer, du tout, ce sujet : ça pourrait nous amener trop loin!, vous ne pensez pas, les filles? Cependant, ce qui m'intéresse, moi, dans tout ce débat c'est que, si je suis vos raisonnements, les femmes et les hommes ne sont pas faits pour vivre ensemble, tenta de résumer Marthe. Alors, comme ils sont compléments l'un de l'autre, prêts ou pas, ils ne devraient s'unir que les rares fois où ils désireraient faire des enfants! ...

- J'espère qu'on ne va pas ainsi revenir et rétrograder quarante ou cinquante ans en arrière, fustigea Jennifer. À mon avis, il ne serait pas du tout pertinent de décréter, comme la religion catholique et les croyances judéo-chrétiennes le prétendent, qu'on ne doit faire l'amour que lorsqu'on a «le ferme propos de procréer», sinon : s'abstenir! ...

- C'est plutôt le contraire, à notre époque, tout le monde en convient aisément, j'en suis sûre, déduit Lisa qui, à l'évidence, ne s'attendait à aucune opposition. Au XXI e siècle, il appert que, tous et chacun ont compris que, si la procréation peut être un but

---

79 Signifie, ici, endormir notre mal ou nos envies en les congelant avec de la glace, moyen souvent suggéré à la blague, par nos aînés.

quelquefois dans la vie, quand des rejetons sont en cause, par exemple, elle n'est pas la seule à considérer et que, le fait d'avoir du plaisir en faisant l'amour, se positionne bien en avant, dans l'ordre des priorités des couples actuels modernes! ... Bon, soyons sérieuses! Et puis, j'y pense! Bravo pour nous! Yahououou! Ce qu'il faut faire, maintenant que nous sommes toutes d'accord, c'est de "swinger"[80] au «bouttttt ...»[81], les filles! En avant, la musique! Youppi! La décadence! Pourquoi pas? Vive la sexualité libre! L'ancien président de la France, M. Charles de Gaulle, n'aurait pas pu mieux dire! On n'a rien vu, rien vécu! Le vrai bonheur est à venir! Yahahououou!

- Woo! Woo!, Lisa, ne perds pas les pédales[82], supplia Marthe. Il ne faut tout de même pas sombrer dans l'anarchie.

- Si c'est dans ce sens-là qu'irait l'anarchie, ne n'aurais rien contre, tu sauras, Marthe, de renchérir Lisa.

---

[80] "Swinger" : signifie, ici, se laisser aller complètement en s'abandonnant totalement à ce nos pulsions sexuelles et nos phantasmes nous dictent.

[81] «Bouttttt ...» : québécisme contenant une onomatopée, qui signifie, ici, au maximum, mais avec plus de ferveur encore.

[82] «Ne pas perdre les pédales» signifie, ici : ne t'emballe pas trop, réfléchis avant d'affirmer quoi que ce soit.

- Voyons, tu ne penses pas ce que tu dis, Lisa, de rectifier Marthe. Si tu vivais vraiment dans un pays où règne l'anarchie, tu serais la première à la condamner!

- Je ne parle ici que de l'anarchie sexuelle, on s'entend!, de rétorquer Lisa du tac au tac. Je n'ai nullement en tête les régimes politiques anarchiques!

- Même l'anarchie sexuelle, ça ne «marcherait»[83] pas, de conclure Marthe.

- Je ne suis pas d'accord, annonça Jennifer. Si j'ai bien interprété l'enquête citée par Lisa, l'anarchie sexuelle est, d'ores et déjà, bien présente puisque, l'incompatibilité sexuelle entre la femme et l'homme est déjà constatée et confirmée par l'enquête : n'oubliez pas ce qui a été dit «l'homme doit réfréner ses pulsions jusqu'à trente ans et la femme doit s'habituer aux stimuli sexuels de l'homme.» Freine, accélère, re-freine, accélère encore, réfrène, va encore plus vite, décélère : ouf!, il n'y a plus rien à comprendre à rien, c'est du vrai latin, c'est du chinois; une chatte, elle-même, y perdrait ses petits. On se croirait bien plus à une course automobile de Formule 1 que dans le domaine de la sexualité! D'ac-

[83] «Marcherait» signifie ici : ne «fonctionnerait» pas ou n'«irait pas», en bon français.

cord pour affirmer avec moi, les filles, «qu'il y a quelque chose qui ne fonctionne pas, quelque part?»

- En tous cas, ce que tu suggères, Jennifer, tend à aller dans le sens des conclusions de l'enquête dont je parlais antérieurement. Seulement, moi, Lisa et, toi, Jennifer, allons plus loin que l'enquête elle-même qui ne fait que constater les faits, ou presque, alors que nous, nous prétendons, en plus, que la NATURE est mal faite.

- Ça me fait justement penser, dit Jennifer, songeuse un moment, mais qui sentit aussitôt l'obligation de se raviser ... Et puis, à quoi bon? À propos, avez-vous déjà songé à quel point il était illogique que le conduit utérin qui laisse passer l'enfant à naître ait été et soit toujours, au départ, beaucoup trop petit pour pouvoir jouer adéquatement, le cas échéant, ce rôle très important.

- C'est d'ailleurs pour cela que la plupart des femmes en «arrachent» tant, gémissent et se tordent de douleur, lors de l'enfantement. On dirait que quelque chose a été oublié ou encore que tout n'a pas été bien prévu à cette fin.

- Là, je t'arrête, Lisa, dit Marthe. Je m'excuse, mais je ne vois pas le problème : contrairement à ce que tu dis, tout le monde sait que la femme dispose, et naturellement à part ça, de tout ce qui lui faut pour enfanter normalement et sans inconvénients majeurs, d'autant plus que, du su et du connu de tous, aussi, suite à une dilatation des parois et des tissus du tunnel utérin, elle peut enfanter comme il se doit!

- Mais à quel prix?, s'écria Jennifer ... au prix de multiples et d'intenses souffrances qui peuvent durer trente-six ou quarante-huit heures, et plus. À mon avis, ce n'est tout simplement pas humain!

- C'est comme ça et on ne peut rien y faire, de prétendre Marthe, résignée et, par certains côtés, fataliste.

- Pas du tout d'accord, de couper Lisa. Ce qu'on te dit, Jennifer et moi, ce n'est pas cela : c'est qu'on a l'impression que, ce chapitre de l'anatomie de la femme, a été bâclé et que, en général et au départ, la femme n'a pas l'air de posséder tous les atouts physiologiques pour enfanter, que le tunnel utérin n'est pas assez large et que le mécanisme de déclenchement de la dilatation des tissus entourant ce conduit n'ont pas bien été imaginés ou dessinés par son inventeur car, l'expérience nous l'a démontré souvent, il ne joue pas son rôle correctement : la preuve, tous ces accouchements très difficiles où l'on doit même utiliser les forceps qui, eux-mêmes, sont la cause d'une multitude d'autres problèmes ou complications ultérieurs.

- S'il te plaît! Woo! Un instant! N'oublie pas que beaucoup de femmes accouchent «comme des chattes», si tu me permets l'expression, coupa Marthe.

- Mais, ce n'est pas le cas de la majorité des femmes, appuya Jennifer. Tu n'as qu'à penser au nombre effarent de césariennes que les médecins sont obligés de pratiquer annuellement et tu verras alors si, pour l'ensemble des femmes du globe, c'est si facile que cela de mettre au monde des enfants.

- Je suis d'accord avec toi, en partie, surtout lorsque l'on pense à certaines femmes de certaines nationalités, les chinoises et les japonaises, pour ne mentionner qu'elles, qui sont généralement courtes et toutes menues, physiquement. Mais, à propos, dit Marthe à Jennifer : avec tes réminiscences et exemples, tu t'éloignes pas mal du sujet principal à savoir l'incompatibilité sexuelle des femmes et des hommes.

- Non, Marthe, coupa Jennifer. Je suis simplement logique, c'est tout : nous sommes parties de l'incompatibilité des sexes pour énoncer que la vie était mal faite parfois comme cette malencontreuse incompatibilité des sexes, elle-même, d'abord. Puis, nous avons enchaîné avec des exemples, des faits ou des situations qui étaient mal faites dans la vie, comme les deux sexes qui, d'après le sondage rapporté, n'auraient pas été pensés pour une éventuelle vie commune.

Ensuite, poursuivit Jennifer nous avons pris conscience que les corps des humains masculins et féminins seraient incompatibles jusqu'à l'âge respectable de trente ans et que, le dispositif utérin semblait mal dessiné, inadéquat, incapable de jouer son rôle sans provoquer des douleurs intenses et prolongées, chez la mère en puissance.

Enfin, ajouta encore Jennifer, nous avons disserté oralement d'un ensemble de phénomènes de la vie, difficiles à comprendre ou à admettre tels quels et, toi, Marthe, en ce moment même, en voulant à tout prix nous ramener au sujet principal, tu es incapable de constater la logique serrée qui unit tous ces faits et cette détestable anarchie sexuelle dans laquelle doivent vivre la femme et l'homme toute leur existence durant. Heh!, Marthe! Ne vois-tu pas mieux, à présent, la logique qui sous-tend tout cela?

- Je saisis beaucoup mieux, maintenant, en effet, approuva Marthe. Mais, même si ça explique parfaitement bien le nombre effarant de ruptures, de séparations ou de divorces, au sein de notre société moderne, ça ne règle pas, pour autant, le problème de l'incompatibilité des sexes. Alors, la nouvelle question devient : est-ce que ça signifierait que les femmes et les hommes ne devraient jamais envisager d'unions à long terme? Franchement, je me le demande, parfois.

- Si l'on considère les moeurs, les coutumes et les habitudes de comportement des humains, dans notre société actuelle, la réponse serait, non, énonça Lisa, en prenant soin de soupeser ses mots. Mais, si l'on affirme, comme je l'ai souvent entendu dire, que tout jeune homme est semblable à un cheval sauvage caractérisé par un sentiment de liberté totale, un seul besoin primaire d'attirance sexuelle intense dont le but évident est la possession du plus grand nombre de spécimens féminins possible, la réponse, alors, serait, oui ...

- Et pourquoi ce ne serait pas nous, les femmes, qui adopterions ces comportements dominateurs et offensifs des hommes considérés, autrefois, comme masculins, c'est-à-dire carrément agressifs face aux femmes, conspua Jennifer, dans un élan trahissant une volonté de justice pour tous.

- C'est que, précisa Lisa, d'après l'enquête dont je vous ai parlé, la femme, encore trop jeune, ne serait pas prête à cela, contrairement à l'homme, pourtant à peine pubère.

- Ben! Il y a enquête pis enquête!, nuança Jennifer. Nous ne sommes pas obligés de croire tout ce qu'elle contient, comme s'il s'agissait d'un dogme de foi, non?

- "O.K.", d'accord, Jennifer. Tu sais, je ne voulais que rappeler les paramètres de l'enquête en question; je ne suis pas en train de te dire ce que tu dois croire et ne pas croire!

- J'espère bien, riposta Jennifer : «ça serait bien la fin des écus»[84].

- Entièrement d'accord avec toi, Jennifer, dit Lisa. Cependant, il n'en demeure pas moins intéressant d'apprendre comment on considère ces pulsions exacerbées chez les jeunes mâles!

- Mais encore?, questionna Jennifer, visiblement moins intéressée à obtenir une réponse qu'à mettre Lisa dans l'embarras.

- Jennifer, tu veux en savoir davantage, hein!, reprit Lisa. "O.K.", mais il serait préférable que tu soies bien assise! ... C'est fait! "O.K"! ... Dans l'enquête citée plus tôt, on précise encore que le jeune mâle humain, comme le jeune poulain, doit rechercher l'herbe tendre et en brouter autant que possible, puisqu'il est entraîné, invariablement et inéluctablement, dans une quête continuelle et permanente d'herbes plus succulentes les unes que les autres ...

- Tu y vas fort, là!, fustigea Jennifer. Non?

- Pas moi, l'enquête, voyons!, répliqua Lisa en souriant. Incidemment, on va même plus loin que cela en prétendant que, comme le jeune pur sang, il est impérieux pour l'adolescent de

---

[84] «La fin des écus» est une expression qui signifie, ici : «il ne manquerait plus que cela», ce serait vraiment exagéré à outrance ou ce serait vraiment le comble, la fin de la liberté de parole.

brouter toutes les sortes d'herbes tendres existantes, surtout que, à cet âge, il n'a rien à faire sinon d'explorer les nombreuses et vastes plaines herbeuses, enchanteresses, plantureuses et voluptueuses. Ce faisant, il pourra trouver un dérivatif, une sorte d'exutoire, bref, le moyen par excellence pour se libérer, voire se débarrasser de son trop plein inutilisé de testostérone.

- Quoi? Quoi? Dieu du ciel, j'ose espérer que la vie ne se réduit pas ou ne se ramène pas à un vulgaire flux de testostérone ou d'estrogène, tout de même!, fustigea Jennifer. En outre, à quoi bon, pour l'homme, de ressentir une poussée sexuelle et sensuelle à l'endroit d'une créature femelle qui n'est même pas prête à l'accueillir favorablement à cause de son manque de maturité physique. C'est absurde!, trancha Jennifer qui, après une pause, reprit en ces termes :

- D'autre part, j'y pense, si on poursuit davantage l'analogie, on pourrait affirmer sans crainte de se tromper que les femmes plus âgées auraient la pleine capacité physiologique et psychologique de TOUT offrir à ces jeunes "bucks"[85] mâles, ces jeunes géniteurs toujours prêts, à 100 % et en tout temps, à fréquenter tous les prés, qu'ils soient fertiles, arides, verdoyants ou opulents.

---

[85] "Bucks" : «mâles», en anglais, est employé, ici, pour donner encore plus de force au concept des mâles qui deviennent, alors, «de vrais de vrais mâles» avec de fortes pulsions naturelles.

- C'est probablement vrai! Par contre, je n'en reviens pas de constater que l'on parle tellement plus de la testostérone de l'homme de dix-sept ans et si peu de l'oestrogène de la femme parfaitement adulte de trente ans, à ce moment précis où cette hormone féminine se trouve, à son tour, à son plus haut niveau et, par conséquent, à son meilleur, autant que la femme, elle-même, d'ailleurs. Alors, si du plus profond de son être, à dix-sept ans, l'homme en fin d'adolescence est comparable à une jeune jument en rut, la femme de trente ans pourrait représenter, du côté féminin, la bonne pointure pour tout jeune homme fringuant intéressé.

- Ah! Ce doit être de là que provient l'expression, «trouver chaussure à son pied», suggéra Lisa, gaîment.

- Ou cette autre phrase : «Prendre son pied!» Ah! Ah! Ah!, d'amplifier Jennifer qui, sans doute, cherchait à provoquer et à mettre Marthe à l'épreuve en renchérissant et en poursuivant avec des propos perçus par Marthe comme provocateurs et scandalisants, en tous cas, inhabituels et surprenants, dans la bouche de Jennifer, en particulier. Curieusement, Marthe ne mordit pas à l'appât, ne commenta pas et, c'est Lisa qui reprit le crachoir.[86]

---

[86] «Reprendre le crachoir» signifie, ici : reprendre la parole, la discussion, le haut du pavé, c'est-à-dire, le contrôle total de la discussion.

- L'enquête, dit-elle, veut, aussi et tout autant, faire ressortir, en ce sens, l'importance primordiale des glandes endocrines.

Chapitre 14

- Vous ne trouvez pas que ça commence à devenir dangereusement spécialisé, coupa Marthe, toujours portée à rechercher le côté pratico-pratique des discussions en contrôlant leur évolution. Finalement, elle conclut : au risque de jouer au trouble-fête, j'en reviens à mon idée de tout à l'heure : organisez-vous comme vous voudrez, mais ayez donc toujours, comme premier objectif, d'être comprises de tout le monde, mesdames, s'il vous plaît!

- «Chaussure à son pied», «Prendre son pied» : toutes des tournures de phrases courantes, Marthe, osa malicieusement Lisa, plus pour mettre délibérément de l'huile sur le feu et savourer à satiété la réaction probable de Marthe, que pour ramener un sujet déjà usé, presque hors d'ordre, à ce stade tardif des débats.

- Peut-être bien, Lisa, affirma Marthe, visiblement mécontente de la tournure des événements. Mais, puis-je t'indiquer, dit-elle, en réussissant à se contenir complètement, que ce n'est pas tout le monde qui a la chance d'être femme de médecin comme Meredith et ...

- Je te vois venir, Marthe! ... Alors, détrompe-toi tout de suite : bien que ça nous arrive quelques fois, contrairement à ce que tu penses sans doute, on ne parle pas tout le temps de médecine, mon mari et moi, à la maison, souligna Meredith pour marquer le coup et en finir avec ces habituelles suppositions.

- Ce qu'il faut ajouter, dit Lisa, c'est que, à dix-sept ans, les testicules de l'homme sécrètent tellement de cette hormone appelée testostérone que le jeune mâle se retrouve constamment avec un excédent, un trop plein de sécrétions inutilisées, ayant si peu d'occasions d'en faire quelque chose d'utile avec des partenaires féminines de son âge et, encore moins plus âgées, à cause de sa timidité et de son manque d'expérience, avoué ou pas.

- Où diable veux-tu en venir, Lisa?, dit Marthe qui trouvait que la discussion piétinait sur place et qui sentait que Lisa et Jennifer faisaient exprès pour se payer sa tête ... Si l'on passait à autre chose, dit-elle, fatiguée de servir de bouc émissaire impuissant entre les mains de ses deux clientes et lasse de leur donner la réplique, en pure perte.

Une chance que Marthe, dans tout ce brouhaha du salon de coiffure, n'avait pas entendu la dernière blague de Lisa qui avait défié son autorité et sa volonté de contrôle des échanges en risquant : «Ma pauvre Marthe, personne ne t'a demandé de venir!»

Elle l'aurait sûrement excommuniée, sur-le-champ, sans autre procès!

D'ailleurs, un assez grand malaise, se traduisant par des brûlements d'estomac sporadiques, avait envahi Marthe, momentanément. Comme ses clientes semblaient davantage vouloir s'amuser à ses dépens qu'à rechercher la vérité en rapport avec le sujet traité, Marthe, rusée et pratique à la fois, plus par expérience que naturellement, relança, toutefois, les intéressées en poursuivant :

- À tout événement, c'est quoi votre conclusion, finalement?, énonça Marthe, à bout de ressources et d'arguments mais, de plus en plus déterminée d'en finir avec le dernier thème qui, à son avis, perdurait vainement.

- La conclusion est bien simple, affirma Lisa : c'est que les femmes et les hommes devraient vivre à part, chacune et chacun dans son appartement, se rencontrer à l'occasion seulement, faire de ces moments de rendez-vous des occasions privilégiées, en misant sur la sauvegarde de la grande qualité de leurs rapports, en ces instants sublimes ... ajouta Lisa, les yeux dans le vague. Mais, peu de temps après, elle poursuivit ainsi :

- Finalement, le cas échéant, après des contacts bien légitimes et naturels, même s'ils sont inopportuns à cause des différences d'âges, ils pourraient retourner gentiment, chacune et chacun dans son propre "home"[87] jusqu'à leur prochaine rencontre, planifiée ou pas, mais, dans tous les cas, fortement désirée de façon à ce que ce soit, encore et toujours, une réussite ou un véritable petit bijou de "meeting"[88], comme le précédent et ainsi de suite.

- Et le reste du temps? Que devraient-ils faire, dit Marthe qui voyait un problème dans cette vision de la vie à deux, selon sa conception traditionnelle du couple d'autrefois, alors que les femmes et les hommes demeuraient ensemble toute leur vie durant et partageaient, encore ensemble, chacun des multiples instants du quotidien.

Si ça ne fonctionnait pas, précisa Marthe, on ne se disputait pas : un des deux partenaires renonçait à ses idées au profit de celles de l'autre et la vie continuait, comme avant la dispute. Loin d'eux la pensée de se séparer ou de divorcer. Le divorce n'était même pas légal et condamné par la religion omniprésente et régente de la vie des couples en même temps qu'une part de leur intimité. Changer de partenaire aussi souvent que nécessaire?

---

87 "Home": maison, domicile, résidence ou appartement.

88 "Meeting" : mot anglais qui signifie rencontre, en français, bien sûr, mais qui, ici, donne un caractère plus officiel à leur rencontre, une dimension plus importante, un peu comme une réunion d'employés de bureaux.

- Même si cette idée effleurait momentanément les couples d'alors, compléta Marthe, ils la chassaient vite, comme une mauvaise pensée, tel que le stipulait le catholicisme de cette époque : ça c'était bon pour les acteurs et actrices d'Hollywood et pour les protestants qui, d'après leur religion, avaient le droit de divorcer, ces pauvres gens qui pataugeaient dans l'erreur et le vice, hors de cette église catholique où se trouvait le seul et unique salut : «hors de l'église, point de salut!», disait-on, alors.

De fait, pour Marthe, la vie et l'amour, le vrai amour, c'était de partager, avec un seul homme, toutes les joies et toutes les peines apportées par cette même vie, jusqu'à ce que la mort les sépare, un peu à la façon de la tradition judéo-chrétienne avec sa vision particulière du couple parfait et de l'amour dans le sens fort du mot.

C'était là sa conception de la vie et de l'amour, où la notion de partage était à la base de toute union. Marthe en était d'autant plus convaincue qu'elle «trouvait ça beau» de voir des gens se marier ou s'unir pour la vie, avec ou sans cérémonie, se disputer occasionnellement, raisonnablement presqu'amoureusement et finalement, vieillir ensemble, tout aussi fidèles et amoureux qu'aux premiers jours de leur rencontre ou union.

D'après Marthe, **c'était là, la vraie vie** et, pour étayer sa théorie, elle trouvait facilement, dans son entourage et dans les personnes de ses amies surtout, des gens carrément d'accord avec cette conception.

Somme toute, la vie, d'après Marthe, c'était de naître, de se trouver, à la fin de la puberté, un bon ami, avoir des enfants avec lui et s'organiser pour qu'ils ne manquent de rien, eux aussi, toute leur existence durant.

Ensuite, c'était le départ progressif des enfants qui, à leur tour, tenteraient d'en faire autant pour leurs propres enfants et ainsi de suite jusqu'à la fin des siècles, amen. Si ces nouveaux parents pouvaient éviter à leurs enfants toute une série d'expériences négatives ou de déplaisirs, qu'ils avaient vécus, eux, tant mieux.

Dans le cas contraire, ils devraient chercher à faire vivre à leurs enfants, une vie égale ou semblable à la leur, à tous points de vue.

Enfin, après un âge adulte et une vieillesse paisible et sereine, le couple du début devrait tirer sa révérence, le plus simplement possible en faisant confiance à la débrouillardise et à l'intelligence de leurs rejetons qui, comme eux, s'engageraient dans une boucle irréversible et sans fin jusqu'à la consommation des siècles.

Donc, un couple, ayant des enfants en âge de fonder un foyer, comme lui antérieurement, ne devait pas davantage se surprendre de les voir quitter le nid familial pour «faire leur vie» et croire qu'il n'est pas nécessaire, pour eux, de rencontrer exactement les mêmes obstacles et difficultés ou, à tout le moins, pas avec la même intensité qu'eux, considérant les moyens techniques spécialisés et nouveaux du XXIe siècle.

Ainsi, par exemple, ils n'auraient pas à défricher la terre : leurs ancêtres l'auraient fait avant eux. Mais, ils devraient affronter des défis nouveaux auxquels leurs prédécesseurs n'auraient jamais eu à faire face, comme la compétitivité de l'emploi, la complexité des techniques modernes et les relations inter-personnelles spécifiques, dans ce nouvel environnement urbain mouvementé et stressé, sans parler de ce milieu rural bouleversé et en complète mutation.

Néanmoins, Marthe avait du mal à imaginer plus avant ce qu'il arriverait aux générations subséquentes à la sienne. De toute façon, elle croyait que ce n'était pas nécessaire de voir plus loin, sans compter qu'elle préférait ne pas trop y penser : elle trouvait ça trop sollicitant et trop difficile «pour sa petite tête», à elle.

D'ailleurs, les filles du salon l'avaient remarqué, Marthe ne recherchait pas les situations compliquées. En réalité, c'était plutôt le contraire : elle les évitait comme la peste.

Autant les théories portant sur des sujets relativement peu importants comme celui des blondes, par exemple, autant celles concernant les origines de la vie ou traitant des causes de la mort, celles des dieux, constructions compliquées de l'imagination des hommes, celles portant sur l'existentialisme ou celles précisant la nature de l'orgueil, la laissaient à peu près indifférente, sinon imperméable car elles s'opposaient à sa vie simple au jour le jour, à elle, Marthe, c'est-à-dire, purement et simplement, une vie où elle faisait son possible pour être gentille avec tout son monde : ses parents, son mari, ses amis, ses connaissances et ses voisins. Après tout, ne suffisait-il pas que tous les autres en fassent autant pour garantir une bonne entente globale entre tous et, qui sait, une paix planétaire ultérieure durable.

Malheureusement, cela ne lui suffisait pas, en vérité, car Marthe se sentait toujours comme étant un être dans une position d'infériorité par rapport à la majorité de ses clientes, dont les trois ou quatre dernières intervenantes. Comme elle avait dû réviser récemment sa position face à Manon, qui, avec ses dernières interventions s'était complètement rachetée à ses yeux, il n'y avait plus que Nancy, que Marthe considérait dorénavant comme étant nettement inférieure à elle.

Meredith n'était pas seulement la femme du médecin de l'arrondissement, c'était en plus, Marthe l'avait découvert depuis peu, une femme équilibrée avec une pensée bien structurée et des idées bien arrêtées sur la plupart des sujets d'actualité, d'abord.

Ensuite, et ce côté de sa personnalité avait beaucoup impressionné Marthe, Meredith avait une culture générale assez étoffée, de nature à rivaliser d'adresse avec la plupart des autres clientes du salon, et même un peu plus : elle connaissait les principes de base des techniques et des inventions importantes de la plupart des grands de ce monde.

Bien sûr, on pouvait lui reprocher d'avoir épousé les théories de Nietzsche et de les avoir adoptées et appliquées dans sa vie personnelle sans trop en changer les aspects, d'où un manque d'originalité possible, mais on ne pourrait jamais lui enlever le mérite d'avoir été capable d'en comprendre la complexité, d'avoir pu, d'avoir été dotée d'assez d'intelligence pour les assimiler dans leur totalité et d'avoir su les modeler à sa vie, à elle, dans un contexte social et culturel plus moderne et passablement différent de celui qui avait caractérisé l'époque de Nietzsche.

Pour toutes ces raisons, Marthe ne se sentait pas bien dans sa peau quand elle se comparait à Meredith. Sans parler de sa «classe» qui ne s'était jamais démentie et que tout le monde lui reconnaissait. Mais, il n'y avait pas que Meredith à regarder pour cerner le vrai problème auquel Marthe était confrontée!

De fait, le malaise de Marthe était plus profond, plus généralisé. En effet, Marthe se sentait tout autant inférieure à Lisa qu'à Meredith, même si Lisa était franchement vulgaire, à l'occasion, comme Manon d'ailleurs, mais qu'elle trouvait «solide», non pas pour avoir acquiescé à la philosophie existentialiste d'Albert Camus, mais pour l'avoir mémorisée au point de pouvoir en parler avec autant d'aisance.

Marthe avait beau se dire que la Manon qui parlait d'existentialisme, ce n'était, ce ne pouvait être la vraie Manon qu'elle connaissait depuis toujours, même si elle répétait sans cesse : «Ce n'est pas elle, ça»! N'empêche qu'elle devait, au moins, se rendre à l'évidence : dans l'éventualité d'une simple mémorisation à l'état pur, de sa part, Marthe devenait convenir que Manon avait une mémoire hors de l'ordinaire.

De plus, sans parti pris pour lui, Lisa avait l'air d'avoir saisi, intériorisé et faites siennes la plupart des idées du grand philosophe existentialiste; le moins que Marthe pouvait lui accorder, c'est qu'elle avait manifesté une assurance indiscutable, lorsqu'elle en avait exposé les détails.

Par ailleurs, Manon, malgré sa trivialité sporadique particulière, manifestée lors de ces débats qui l'avaient opposée à Candy plus particulièrement, elle était devenue, pour Marthe, la «véritable révélation» de la journée.

En effet, même si, une fois de plus, elle était convaincue dur comme fer que, Manon, elle aussi, avait tiré de quelque livre, dont elle se gardait bien de dévoiler la provenance d'ailleurs, sa théorie concernant l'orgueil, Marthe l'avait toujours admirée pour ses idées franchement très originales et cela s'était confirmé à ses yeux, lors du compte-rendu de Manon en rapport avec la fameuse thèse concernant l'orgueil, et cela même si, le reste de sa vie, elle demeurerait convaincue, à la vie à la mort, que Manon était incapable d'une telle connaissance de la psychologie féminine et masculine. Ça devait être ça, se disait Marthe : elle avait tout pris ça dans un ou plusieurs volumes de psychologie qu'on retrouve aisément sur les rayons de toutes nos bibliothèques publiques.

En tous cas, si Manon savait tout cela à la suite d'efforts de recherche soutenus ou même de mémorisation, comme dans le cas de Lisa, elle devait lui donner le crédit de posséder d'excellentes méthodes de recherche et des moyens mnémotechniques dont, elle, Marthe, ne disposait pas : c'était le moins qu'elle pouvait dire car, parfois, Manon, autant que Lisa, donnait l'impression, d'avoir intégré à sa vie cette théorie portant sur l'orgueil, en ce sens qu'elle avait l'air convaincue de la justesse de cette hypothèse.

Meredith, ça pouvait toujours aller : elle était issue d'un milieu socio-culturel supérieur à celui où avait gravité Marthe et on pouvait toujours lui accorder le bénéfice du doute. Même que, à son sujet, il n'en subsistait plus aucun, se disait intérieurement

Marthe, pour être franchement objective. Mais, quant au crédit véritable à accorder aux déclarations de Lisa et de Manon, Marthe vivait mal avec ça. Étais-ce parce qu'elle voulait les considérer au même niveau qu'elle-même : Marthe se posait sérieusement la question.

Voulait-elle éviter de rester, seule, dans sa catégorie? Était-ce cette dernière raison qui était responsable de son entêtement à ne pas les croire supérieures à elle, dans leur quête de renseignements et d'informations? Ce qui était sûr c'est que Marthe, elle, ne se documentait jamais, ne se cassait pas la tête inutilement, fidèle à son habitude de se renseigner à partir des dires et interventions de ses clientes.

Quoiqu'il en soit, que d'idées à propos d'une foule de sujets les clientes de Marthe affirmaient et développaient! Et, elle, Marthe, où se situait-elle, dans tout cela? Qui était-elle? D'où venait-elle? Que faisait-elle de particulier? Comment se démarquait-elle? Que pensait-elle vraiment, elle-même et par elle-même? Ne réfléchissait-elle que par le truchement des autres ou à partir des idées véhiculées par les diverses clientes fréquentant son salon de coiffure? Quelles idées avait-elle fait siennes? Où allait-elle? Qu'allait-elle faire avec sa vie, de sa vie?

Chapitre 15

Dans l'avion qui l'amenait de Montréal à Bavaro Beach Club, Hôtel and Resorts, à Punta Cana, en République dominicaine, Marthe tentait de répondre à toutes ces questions qui se posaient et s'imposaient, à la fois, à son esprit.

Au début, elle s'était dite qu'elle était «due» pour un grand changement et elle avait pensé s'inscrire à un cours de comptabilité à l'Université, histoire de «changer le mal de place», comme elle avait l'habitude de se dire, à l'intérieur d'elle-même, dans les moments difficiles.

Ce faisant, elle désirait vaincre un vieux complexe d'infériorité qu'elle entretenait, à son corps défendant, depuis son tout jeune âge, à l'école en particulier, face aux sciences exactes, plus particulièrement et, de fait, exclusivement. D'autre part, elle nourrissait une l'arrière-pensée -ou une illusion, elle n'aurait su le dire- de devenir plus compétente à titre d'administratrice financière de son entreprise.

Cependant, très tôt, elle se rendit compte que cela ne comblerait pas ses besoins de changement, à plusieurs égards.

D'abord, Lisa faisait très bien l'affaire à ce poste plus ou moins officiel, une occupation qu'elle détenait par la force des choses, qu'elle aimait naturellement et dont elle s'acquittait efficacement, sans rechigner, aucunement.

En tous cas, ce que Marthe savait pertinemment c'est que ce cumul de fonctions ne lui coûtait rien, à elle, ou presque, puisque cette besogne de comptable s'était greffée à la tâche de coiffeuse de Lisa, sans qu'elle l'identifie clairement comme une nouvelle corvée à part et en surplus de celle de coiffeuse.

Donc, ça c'était réglé : à quoi bon se casser la tête dans le domaine des chiffres, soit un champ d'activité qu'elle détestait à mort, alors que Lisa s'y adonnait, presque gratuitement, sans efforts.

Somme toute, tout ce qu'elle aurait décroché de plus, aurait été un papier, un diplôme officiel attestant de ses nouvelles compétences qui, pourtant, ne suffirait pas, Marthe en était profondément convaincue, à la convaincre d'assumer, elle-même, le rôle de trésorière du salon, à la place de Lisa.

Puis, Marthe avait pensé suivre des cours de couture, de broderie et même d'arts plastiques et de danse. Quant à la danse, elle avait évalué qu'elle aurait dû y penser avant : ne commençait-elle pas à prendre de l'âge? Quant aux arts plastiques, à la couture et à la broderie, elle s'était répétée que ces disciplines s'avéraient trop manuelles et, par conséquent, trop semblables à sa profession qui meublait, déjà, tous les jours de sa vie, ou presque.

Néanmoins, Marthe ne pouvait le nier, du plus profond de son âme, elle était, c'était l'évidence même, à la recherche de quelque chose. Mais, de quoi? Ça, c'était le plus difficile à déterminer. Un «je ne sais quoi» d'indéfinissable, de nouveau, quelque chose d'impalpable dans sa vie, pour combler sa vie.

Bref, elle se sentait en proie à un mal aussi déchirant que difficile à cerner. Non, pas un grand vide, le mot aurait été trop fort pour une femme qui assumait la totalité de ses responsabilités et qui vaquait à toutes ses occupations incluant son travail, qui occupait le plus clair de son temps, et cela, depuis toujours.

Une sorte de carence? Probablement, sûrement même, du moins si elle se basait sur les idées qu'elle remuait et murmurait sans arrêt, dans son esprit. Bref, un besoin carrément insatisfait à ce jour et, plus profond qu'elle ne l'avait cru, d'abord.

En réalité, Marthe assistait, bien malgré elle, à une révolution intérieure, à une remise en question complète et systématique de son existence. Seule, sa conception personnelle, qu'elle appelait «sa vision de base de la vraie vie», n'était pas remise en cause. En effet, la vie que Marthe avait toujours imaginée, c'était celle d'un passage terrestre caractérisé par un dévouement total et indéfectible à son mari, à ses enfants et à leurs rejetons.

Jusque là, sa croyance en ce concept fondamental de vraie vie auquel elle tenait mordicus[89], avait réussi à donner à Marthe de bonnes raisons d'exister.

Cependant, aujourd'hui, elle sentait qu'un autre besoin restait à combler. C'était très louable de vivre en fonction des autres et pour les autres. Pourtant, cette fois, elle devait commencer à penser à elle et uniquement à elle. Mais, comment? Elle identifiait mal encore cette nouvelle nécessité absolue car, si elle savait, avec une grande précision, ce qu'elle ne voulait pas, comme par exemple, d'autres métiers manuels comme le sien ou encore toute la gamme de ces métiers en relations d'aide, elle ne savait pas précisément ce qu'elle voulait, exactement.

Malgré tout, côté emploi, ça commençait à s'éclaircir car, en connaissant la nature des emplois à rejeter, elle pouvait, d'ores et déjà, mieux se situer quant à son orientation future, même si c'était encore confus, à ce stade initial de son bilan. Selon toute évidence, Marthe se cherchait et vivait toujours des tiraillements. Toutefois, il y avait pire encore : une importante et complète remise en question doublée d'un grand sentiment d'inconfort généralisé. Mais, lequel et pourquoi?

---

[89] «Mordicus» signifie, ici : avec une fermeté opiniâtre, avec opiniâtreté, avec une très grande fermeté, avec une volonté tenace, avec acharnement.

Marthe n'aurait su le dire. Alors, un soir, résolue à crever l'abcès, elle décida d'y penser longuement, toute seule, à l'écart. De fait, elle était en train de vivre une crise encore plus aigüe que celle qu'elle s'était imaginée, au départ. Tergiverser? Non, ce n'était pas son genre. Au contraire, Marthe s'était dit qu'elle se devait de régler le problème, immédiatement, une fois pour toutes. Mais, lequel?

À force d'y réfléchir, elle s'aperçut que, dans les conversations, fréquemment, elle s'était sentie dans l'obligation d'interpeller des belligérantes pour les ramener à des réalités beaucoup plus simples que celles qu'elles étaient en train d'exposer et de défendre, plus ou moins vigoureusement, selon les cas.

C'est alors que, petit à petit, Marthe finit par se demander, en tâchant d'être aussi objective que possible, si un manque, une lacune quelconque, quelque part, au niveau de ses attitudes, de ses perceptions, de sa culture générale, de sa formation dans d'autres sphères de l'activité humaine ou une carence d'un autre ordre, ailleurs, n'était pas la source de tous ses embêtements.

Ce qui paraissait sûr c'est que Marthe, d'une façon plus déchirante chaque jour, se rendait compte, d'abord et avant tout, qu'elle était tout à fait incapable de donner la réplique à plusieurs de ses clientes assidues, sans pouvoir non plus, comme tel, en formuler le «pourquoi» avec des mots précis. C'est pourquoi, elle se devait d'agir, de poser un geste.

Pour réaliser le projet qui germait graduellement dans son esprit, Marthe avait besoin de se dire et de se répéter sans cesse, mentalement, dans le but évident de s'en convaincre elle-même, qu'elle avait une foule de bonnes raisons de ne pas être inquiète sur un point : Lisa pouvait parfaitement assumer la permanence, à sa place; elle était intelligente, débrouillarde, assez tenace et têtue même pour résister à des clientes un peu fantasques, le cas échéant. Donc, de ce côté, pas de problème.

À présent, la question c'était plutôt de savoir si elle pouvait se payer le luxe de petites vacances improvisées. Objectivement, elle devait répondre «oui» à cette question qu'elle se posait depuis longtemps. D'abord, elle en avait les moyens, même si, au début, elle avait eu du mal à se l'avouer et à l'admettre, par la suite. Depuis le temps qu'elle travaillait, sans prendre une seule demi-journée ou journée de congé pour cause de maladie, sans hiatus et sans heurts donc et, par conséquent, en parfaite continuité dans le temps, elle avait droit à un répit.

De toute manière, même si, en évaluant d'une façon très serrée ses états financiers, elle avait conclu qu'elle n'avait ni le temps ni les moyens de s'abandonner à ce qu'elle percevait comme une fugue contrevenant à toutes les règles du «devoir» tel qu'elle le concevait, elle serait partie, tout de même, car elle était de plus en plus consciente que, si elle travaillait, ne serait-ce qu'un seul jour de plus, elle éclaterait comme un «Presto»[90] ayant été trop longtemps sous pression.

Il était capital qu'elle prenne la décision avant qu'elle ne se retrouve à l'hôpital avec une maladie psycho-somatique causée par un nombre trop considérable d'heures travaillées consécutives et par la somme de toutes ces contrariétés encaissées, à longue échéance.

Marthe vivait, probablement, une dépression surtout si, comme elle l'avait entendu souvent, on décomposait le mot en deux parties, soit une «dé-pression», signifiant, à tout le moins, une baisse de pression momentanée, une chute en termes de dynamisme de la personne ou une simple baisse d'énergie.

Contrairement à beaucoup de gens, elle n'avait rien contre son "boss", il se trouvait qu'elle était, elle-même, son propre patron et la patronne-propriétaire de son propre salon de coiffure.

D'autre part, elle ne pouvait pas prétendre, comme beaucoup d'employés au service du même patron depuis un trop grand

---

[90] «Presto» : marque de commerce d'un contenant culinaire servant à faire cuire des aliments (légumes, viandes, etc.) sous pression, de façon à en accélérer la cuisson.

nombre d'années, qu'elle en avait «ras le bol» de lui et de ses exigences à n'en plus finir : cette situation ne s'appliquait pas à la sienne. Comme de nombreux travailleurs, aussi, elle ne pouvait pas davantage prétexter «que si elle ne mettait pas une certaine distance» entre lui, le patron, et elle, Marthe, elle éclaterait à coup sûr, en paroles, en actes ou des deux façons, en même temps.

Non, ce n'était pas son cas, non plus : il était donc inutile qu'elle cherche des prétextes, comme ceux qu'on retrouve chez ces salariés qui, pour un «oui» et pour un «non», imputent à leurs employeurs la responsabilité négative de leurs agissements, à eux, ces subalternes rémunérés de la classe prolétaire nécessairement et, par définition, exploitée, au départ.

Pourtant, cela ne l'empêchait pas d'en avoir assez de cette pression qu'elle se mettait, en fin de compte, elle-même, sur les épaules, quand elle voulait que tout aille à merveille dans le salon -et elle le voulait fortement, tout le temps- puisque «bien» n'était pas suffisant pour elle et qu'il devait céder le pas à «excellent» et ce, trois cent soixante-cinq jours par année. Peut-être que ses idéaux étaient trop élevés, surtout que, à l'occasion, elle était bien obligée de réaliser qu'elle était trop perfectionniste. Cependant, il y avait plus, encore et encore.

En effet, Marthe en plus d'en avoir assez de devoir reprendre continuellement ses clients, était fatiguée d'être placée dans l'obligation de leur rappeler le véritable ordre du jour du moment, de leur demander d'éviter les sujets douteux, licencieux et grivois mais, d'abord et surtout, en avait soupé[91] de ne pas être sûre de bien comprendre les blagues, les insinuations, les allusions, les sous-entendus verbaux ou gestuels de sa clientèle. En outre, elle était lasse, pour une autre raison : elle était devenue incapable de subir les demi-jugements, les demi-mots et même les propos ironiques et sarcastiques implicites ou explicites.

Bref, Marthe en avait assez tout court : du métier, des longues et lourdes heures régulières et supplémentaires, des autres employées, de leurs caprices, de leurs crises de larmes dans le haut côté de l'arrière-boutique et même de leurs écarts de langage occasionnels. Peut-être n'était-elle pas faite pour une telle dynamique de groupes, pour vivre bousculée au milieu d'une semblable ruche humaine désireuse de faire valoir à tout prix ses points de vue étroits et personnels, uniquement.

Elle avait même pensé qu'elle vivait un profond, un magistral, un indiscutable et complet BURNOUT. Au début, Marthe s'en défendait et disait à tout le monde «qu'il lui semblait que non». Mais, après réflexion, du moins quand elle s'en tenait à la définition générale de «fatigue professionnelle», elle s'était dit que

---

[91] «En avait soupé» : expression synonyme d'en avoir assez, d'en avoir ras le bol.

c'était peut-être ça qui se passait en elle et qui la dévorait à petit feu.

Oui, ce devait être ça! Est-ce à dire que Marthe n'était plus capable, -ou ne désirait plus l'être pour un bon moment- de composer avec les débats et les situations conflictuelles du salon et de la vie, en général? Sans doute! Peut-être! Elle n'aurait su le dire ...

Toutefois, contrairement à ce qu'elle avait cru au départ, ce n'était pas contre son métier qu'elle en avait, c'était contre cet imbroglio qui régnait lors des échanges et obstinations entre ses clientes, qui la confrontaient avec elle-même et avec sa propre existence personnelle et qui la forçaient à réévaluer continuellement ses positions et ses jugements de valeur passés.

Bref, elle en avait assez de ce mouvement incessant dans les idées et dans ces comportements «nouvelle vague» prêchés par une société en recherche de maturation et d'équilibre, soit, mais aussi en éternel rejet des valeurs plus anciennes, sans solutions de rechange en termes de valeurs remodelées, à inculquer à ses enfants.

Oui, ces vacances lui seraient bénéfiques, à tous points de vue. Une délivrance? Aussi! Une façon de faire le vide, de déstresser face à ses employées et clients, mais, aussi, un moyen de refaire le plein d'énergie et d'idées, de vivre de nouvelles expériences, de rencontrer de nouvelles gens, confrontée et influencée positivement par d'autres cultures.

Et puis, ne rien faire, pour changer! Enfin! Pourquoi pas? On lui avait vanté les mérites, les commodités et les nombreux services dispensés au Bavaro Beach Club, Hôtel and Resorts, à Punta Cana, en République dominicaine, incluant presque tout, dont la présence de deux médecins qualifiés, en permanence, sur le site.

Oui, il n'y avait pas à hésiter une seconde : c'était ça, qu'il lui fallait! Plus elle y pensait, plus elle se rendait compte que, pour une fois dans la vie, dans **sa** vie, pour la toute première fois de fait, c'était ça qu'elle voulait. De plus, et cela était nouveau chez elle, il le lui fallait sans faute, tout de suite, maintenant : c'était là ce qu'elle désirait pour elle-même, sans compromissions aucune. Rien de moins! Dès lors, c'était décidé : c'était là qu'elle irait; c'était dans cette direction qu'elle volait, déjà.

En plus du domaine de trente-cinq kilomètres de long, du golf, du casino, d'une bon nombre de restaurants tout inclus de qualité sur le site, des cinq piscines et d'une mer propre, vraiment à proximité des divers bâtiments et pavillons séparés pouvant accueillir mille deux cent quatre-vingts vacanciers, en même temps, sans que quiconque ne se sente jamais à l'étroit, voilà, en résumé, ce qui s'offrait aux yeux émerveillés de Marthe.

Cependant, ce n'était pas tout : Marthe aurait tout le loisir, aussi, de participer aux animations suggérées par l'hôtel et encadrées par ses époustouflants G.O.[92], de s'adonner aux autres activités et excursions organisées vers des îles plus petites, à proximité, et de bénéficier, ainsi, d'un contact constant et étroit avec le peuple autochtone et avec une nature paradisiaque, à souhait.

Au moment de son arrivée au domaine enchanteur de Bavaro Beach Club, c'est dans cet état d'esprit que Marthe se trouvait. Dans les circonstances présentes, Marthe se disait que ce site était parfait pour elle. Peu capricieuse, peu gâtée, peu habituée à ce climat, à cette végétation luxuriante et ébahie par toute cette splendeur, Marthe, parfois, se prenait à répéter tout bas que ce site était peut-être même trop merveilleux pour elle.

Mais, à tout événement, le principal était que, maintenant, en cet instant même, tout cela était bel et bien disponible, pour elle : c'était fait, c'était là, tout était là, devant elle, prêt à la combler, à la dépayser comme jamais auparavant! Ce n'était pas du luxe! Aucun danger d'en prendre l'habitude! Et puis, se rabâchait Marthe, en pensant à la fameuse chanson de Guy Béart : «On ne se gâte jamais assez.»

---

[92] «G.O.» : abréviation désignant ces Gentils Organisateurs des hôtels, qui sont, de fait, des animateurs, payés par l'hôtel concerné, pour divertir les clientes et clients.

Pour la première fois de son existence routinière qui se résumait essentiellement par «métro-boulot-dodo», ce qui comptait le plus pour elle, à présent, c'était «de sauver sa peau», à court terme : sinon physique, c'était une question de survie psychologique.

Marthe n'était pas du tout d'accord avec ce dicton populaire qui lui revenait en mémoire et qui stipulait «que TROP c'est comme PAS ASSEZ» car ce trop plein d'agréments et de services dispensés, c'était exactement ce qu'il lui fallait, à elle, Marthe, à ce moment précis et dramatique de sa vie.

Ne s'était-elle pas trop souvent et trop longtemps, au contraire, contentée de «pas assez?» En cette période capitale de sa vie, pourquoi se serait-elle même donné la peine de conclure que, pour elle, le domaine Bavaro c'était trop? Non, pour le moment et à première vue, rien ne semblait de trop.

De fait, Marthe était décidée à ne pas gaspiller une seule seconde de son voyage, pour se poser la question seulement. Le temps des damnées interrogations était révolu : elle ne se devait que de VIVRE intensément, par elle-même et rien que pour elle-même, sans tenter de tout quantifier en termes de trop ou de pas assez.

Après, c'est-à-dire beaucoup, beaucoup plus tard, Marthe aviserait! C'était trop tôt pour prendre de telles décisions. La paix, la sainte paix, se disait-elle, à elle-même : ne rien dire, ne rien faire ou faire si peu et, préférablement, ne rien faire du tout! Tout voir, tout découvrir, tout goûter à fond! Vivre, enfin! Pleinement! Intensément! Mordre dans la vie! Quelles possibilités de rencontre intérieure avec sa propre identité? Quelles probabilités de coïncidence parfaite avec soi-même? Quelles perspectives de liberté, de bonheur et de sérénité, loin des bruits et des tracas urbains, en conformité avec la nature et avec **sa** nature? Dieu, quelle libération!